IT技術者が病まない会社をつくる

メンタルヘルス管理マニュアル

浅賀桃子 *asaka momoko*
ベリテワークス代表取締役／代表カウンセラー

言視舎

はじめに

本書を手に取っていただきありがとうございます。
「IT技術者が病まない会社をつくる――メンタルヘルス管理マニュアル」というタイトルをみて、どのように感じたでしょうか。

「IT企業ってやっぱりブラックだから大変だろうな」
「心が折れる人が多いって聞くけど、○○さんは大丈夫かな」
そんな声が聞こえてきそうですね。

会社を立ち上げる前、私はIT企業の人事として働いていました。
医療法人での勤務を経て、縁あって飛び込んだIT業界。「心が折れる人が多い」「ブラックだ」など、いわゆる「3K」の労働環境だといわれがちなこの業界。各種統計を見ても、残念ながら今のところメンタル不調になる方の割合が高い業界であることは否定できません。
私自身も、不調の兆候があっても気づかなかったり見て見ぬふりをしたりする結果、長期休職や退職に追い込まれるケースを多数見てきました。業界に長く身を置く中でカウンセリングの必要性を強く感じ、カウンセラーの資格を取得し現場の技術者からの相談に乗ってきました。
「IT技術者がメンタルヘルスを保ちつつ、元気に働き続けられるような世の中にしていきたい」
その思いで2014年にベリテワークス株式会社を立ち上げました。

弊社事業の二本柱は「IT」と「カウンセリング」です。
2つの事業を1つの会社でやっているのは少し珍しいかもしれません。
弊社にはカウンセリングサービスと情報システムサービスを通じ、**企業経営にあたっての資源である「ヒト」「モノ」の両面からのサポートができる強み**があります。**現場を知る人事出身のカウンセラーかつ経営者でもある私が代表を務めるからこそできるサポートや実践**があり、おかげさまでコロナ禍においても業績は安定し、多くの企業様から高評価をいただくことができています。

本書は、**問題把握パート**と**問題解決パート**の大きく2つに分かれています。

前半の問題把握パートでは、IT業界でメンタル不調が多いとされる社会的背景や主な要因、病みやすいIT技術者の特徴など私がサポートした事例などをもとに紹介しています。

後半の問題解決パートではこれらを踏まえ、**メンタル不調者が出づらい会社・組織をつくるために経営者や管理監督者が何を目指すべきかについて、弊社の実践事例をふんだんに紹介**しながら述べています。

また本書の中には「**スヌーピーの知恵**」というコラムが登場します。

私はカウンセリングの敷居を下げたい、もっと身近なものにしたいという思いをもって弊社でカウンセリング事業を行なっていますが、その一環として長年研究しているアメリカの漫画「PEANUTS」に登場するキャラクター「スヌーピー」のエピソードを取り入れたり、メンタルヘルスを「スヌーピー」を使ってわかりやすく説明するセミナーなどを実施したりしています。そのエッセンスを味わっていただければ幸いです。

IT企業にとって大切な**技術者がメンタルヘルスを保ちながらパフォーマンス高く仕事をできる環境をつくることが経営者の職務であり、必然的にそういった会社の業績はあがる**と考えています。本書をお読みいただくことで、タイトル通り「IT技術者が病まない会社」づくりに役立てていただきたいと思います。そして「IT業界は3Kで、健康に働き続けられない業界」そういった多くの方が持っているかもしれない「誤解」がなくなる世の中に近づくことを願っています。

目次

第4章　病みやすいIT技術者の特徴

Ⅱ　メンタル不調者が出づらい会社をつくる

第5章　メンタル不調者が出づらい組織とは

第6章　管理監督者・経営者が目指すべき組織

第7章　実際にやってみた——弊社の場合

I

なぜIT業界は
メンタル不調者が多いのか

第1章 メンタル不調の実際と社会的背景

◆なぜIT業界にメンタル不調者が多いのか

IT業界のイメージはどのようなものでしょうか？ **代表的なイメージは「3K（キツい、厳しい、帰れない）」**かもしれませんね。

私は約15年IT業界に身を置いています。SIer、ITコンサルティング会社での人事および社内カウンセラー経験を経て、2014年に会社を立ち上げ、IT業界をはじめとした企業および企業に勤める従業員のサポートをしています。そして、自社にもシステム開発部門を持ち、**IT業界が持たれがちな負のイメージを変えるべく活動**しています。

IT業界とメンタル不調に関連した**社会的背景**についてまずみていきましょう。

厚生労働省の「平成29年労働安全衛生調査（実態調査）」によると、過去1年間にメンタル不調により連続1カ月以上休業した従業員は全体で0.4%。産業別にみると、IT業界が含まれる情報通信業が1.2%と最も高い割合になっています。

メンタル不調の一因として挙げられる**長時間労働の問題**は、情報通信業では特に目立っています。

2014年に成立した「過労死等防止対策推進法」に基づく「過労死等防止対策白書」が厚生労働省より2016年に初めて公開されました。正規雇用従業員（フルタイム）の月間時間外労働時間が20時間超と回答した企業の割合は情報通信業では53.7%となっており、業種全体の平均値(25.4%) を大きく上回っています。

また、1カ月間での最長時間外労働時間に関しての調査では、80時間を超えていると回答した企業の割合が一番多かったのが情報通信業(44.4%)。IT業界特有の要因に関しては第3章にて詳しく述べたいと思いますが、現在に至るまで、長時間労働が最も酷い業種のひとつであり続けていることは間違いないといえます。

◆どんな症状の訴えがあるのか

メンタル不調とひとくくりに述べましたが、そのなかにはさまざまな種類があります。

そもそもメンタル不調とは、独立行政法人労働者健康安全機構が出している「職場における心の健康づくり～労働者の心の健康の保持増進のための指針～」によると、以下のように**定義**されています。

“精神および行動の障害に分類される精神障害や自殺のみならず、ストレスや強い悩み、不安など、労働者の心身の健康、社会生活および生活の質に影響を与える可能性のある精神的および行動上の問題を幅広く含むもの”

IT技術者に多くみられるメンタル不調の代表的なものは、うつ病やアルコール依存症、適応障害などです。ただし、IT技術者がいきなりそのような「病気」になるわけではありません。

メンタル不調のサインは「こころ」と「からだ」と「行動」に現れるといわれています。そうしたサインを見逃さないことが大切です。

例えば、みなさんの身の回りに以下のような同僚はいませんか？

[**こころ**]

気分にムラがある

集中できない
（今まで好きだったことに対しても）興味や関心がわかない

［**からだ**］
最近眠そうにしている（眠れない、夜中や早朝に目覚める）
食欲がない
動悸がする

［**行動**］
遅刻、早退が多い
突然の有給休暇取得や無断欠勤がある
身だしなみに気を遣わなくなった

これらのサインに気づくためには、**自分自身や身の回りの同僚の「普通」を把握しておく必要**があります。普段がわかっているからこそ、普段との「変化」に気づけるのです。

もう少し詳しく見ていきましょう。以下は実際にあった例のご紹介です。

▼普段バッチリメイクの人が、ほぼすっぴんで出社した

いつもあまりメイクをしない人がすっぴんで出社したとしてもあまり違和感はないと思いますが、バッチリメイクが普通の人だとしたら違和感をおぼえますよね。単にその日だけ寝坊したのか？　心境の変化があったのか？　メイクをする気になれない（気力の低下）のか？

その日だけ寝坊したのであれば、次の日にはバッチリメイクに戻っているでしょうが、それからメイクをしなくなったとしたらどうでしょうか。「付き合っている人に“すっぴんがきれいだからメイクは控えめにしたほうがいいよ”といわれたのでこれから薄メイクにするの」ということなら別ですが、メイクをするのも煩わしいと思うほど寝ても疲れが取れない、などということであれば注意が必要になるでしょう。

▼いつも昼休みは同僚と和やかに談笑している人が、最近は無口になったり、さっさとご飯を食べそそくさと自席に座るようになった

今日は気分が乗らないので１人でいたい、という日があっても良いと思いますが、その状態が続いたらどうでしょうか。同僚との仲が悪化したのでしょうか。ちょっと気になりませんか？

この逆パターンもあります。自分からはあまり話さずに、同僚の話をニコニコして聞いていることが多い人が、最近やたらおしゃべりになり「酒でも入っているのか？」と周りが怪訝そうな目でみるようになった、というような事例もあります。

▼いつもよりトイレに行ったり、お茶やタバコなどで離席する頻度が増える

ちょっと食品にあたってしまい、お腹を下し気味でトイレに行く回数が増えているのなら、回復すれば問題ないかもしれません。ただ、それが慢性的なものになったらどうでしょうか。お茶やタバコ休憩にしても、離席頻度が上がるというのは集中力の低下などにつながりかねないため、注意する必要があるでしょう。

▼いつもならしないであろう単純ミスが増えたり、これまでとあまり変わらないボリュームの仕事内容でも時間が通常よりも多くかかったり、期限までに完成できなくなる

メールの宛先間違い、添付ファイル漏れなどの単純ミスをいつもしている社員であれば「ああ、またか」となるでしょう（そういった社員を抱えることの組織としての問題はここでは脇に置きます）。しかし、普段ミスをほとんどしないような人が、最近ミスが増えるなど仕事の能率が低下しているのであれば、仕事に集中できない何か（公私の）環境変化があったのか、疲れが取れていないのか、といった可能性を考慮したほうが良いでしょう。

このようなサインに気づかずに無理をして働き続けた結果、うつ病などによる１カ月以上にわたる長期休業（休職）につながってしまっては元も子もありません。

◆ サインに気づいたらどうすればいいか

もしサインに気づいた場合は、**必要に応じた声掛け**をしていただきたいと思います。声をかけても「いえ、何でもないです」などと詳細に話をしてもらえない可能性もありますが、その場合は無理に聞き出そうとしなくて構いません。ただし「私は○○さんのことを気にかけています」「話したいと思ったらいつでも話しかけてほしい」ことを伝えることをお勧めします。

また、一時的なものなのか、慢性的なものなのかによってもその後の対応が変わってきますので、声をかけないまでも状況は随時注視したうえで、変化がみられないようであれば１週間後、２週間後などに再度声掛けをすることが大切です。

さらに、声をかけた際の基本的な姿勢として「**聴くスキル**」もぜひ意識していただきたいです。

カウンセリングの勉強をされた方など「**傾聴**」という言葉を聞いたことがある方もいらっしゃるかもしれません。コミュニケーションにおいて、言葉を介して伝わるものはほんの一部で、身振り手振り、顔（目や口など）の表情、話す速度、ジェスチャーなどの非言語コミュニケーションで伝わる情報のほうがはるかに多いといわれています。

これらの情報に注目しつつ、**相手に対し好意的な関心を持って聴く姿勢**を心掛けていきたいところです。ポイントは「感情移入」ではなく「**共感**」。客観視を保ちつつ、相手や相手の状況に気持ちを入れ共に感じる（**同感する必要はない**）ということです。

そして、**「いつもと違う？」という状態が２週間継続するようであれば**、産業保健スタッフ（産業医や衛生管理者、保健師、カウンセラー、人事労

メンタル不調のサイン

こころ
気分にムラがある
集中できない
（今まで好きだったことに対しても）
興味や関心がわかない

からだ
最近眠そうにしている
（眠れない、夜中や早朝に目覚める）
食欲がない
動悸がする

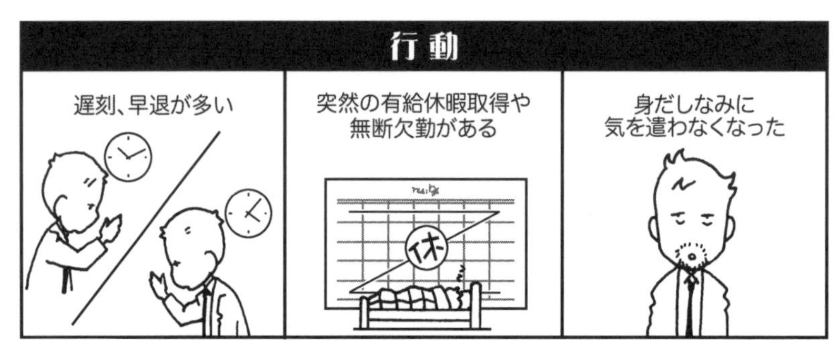
行動
遅刻、早退が多い
突然の有給休暇取得や
無断欠勤がある
休
身だしなみに
気を遣わなくなった

務スタッフなど）につなぎ、抱え込むことがないようにしましょう。

◆「コロナ」以降を見越しての社会的背景

世界的に流行し、終わりがみえない新型コロナウイルス感染症。2020年４～５月に日本全国で出された緊急事態宣言を１つのきっかけに、多くの会社では**在宅勤務（リモートワーク）**が推奨されるようになりました。満員電車に揺られての通勤がなくなることでストレスが減る…という単純な話ではなく、「**コロナストレス**」「**コロナうつ**」という言葉が登場する状況になってきています。

「**コロナうつ**」とは正式な病名ではありませんが、新型コロナウイルスに起因したうつ症状のことを指します。いつ収束するのかわからない、外出自粛により行きたいところに行けない、といった不安感がきっかけになり**心のエネルギーが低下**していくのです。

また、先述のリモートワークへの変化もストレスやうつにつながりかねません。コロナ以前からリモートワークを導入していた会社で働いていた方であれば、ある程度心の準備を持って全面リモートワーク化を受け入れることができたでしょう。しかし、私のもとに相談にみえる方の多くが「私の会社では緊急事態宣言をきっかけに急にリモートワークが導入されたので、生活リズムを整えるのが難しい」ということをおっしゃっていました。

「急に」受け入れざるを得ない変化であり、かついつまで続くのか、期限が誰にもわからない現実を前に心の準備ができず、受け止めるまでに時間がかかっている方が多いことがわかります。

今は大丈夫、と思っている方も決して油断してはなりません。なぜなら、「コロナうつ」にこれからなる可能性があるからです。

〈コロナうつの実例〉

M さん（40 歳）

M さんの会社では 2020 年 4 月の緊急事態宣言を受け、全社的に在宅勤務にシフトされました。在宅勤務を行なうにあたり、「オフィスと同じ環境を作るため、ビデオ通信システムは就業時間中常に ON にすることが求められている」ため、いつもカメラで見張られているような感覚になって落ち着かなくなったといいます。また、オフィス出社時よりもこまめな作業報告が求められるようになったことも、M さんの精神的な負担が増す結果になりました。

「朝作業を始める前の報告、昼休憩前の報告、そして帰宅前の報告をテキストで作ったうえで、都度上司とのビデオミーティングをしなくてはならないのです。オフィス出社時に口頭で伝えていたようなことも、テキストに落とし込むときは案外時間を取られるもので、パフォーマンスが落ちているような気がしていますし、だんだん上司の顔を見るのも嫌になってきました」

この結果、**M さんは朝会社のパソコンを立ち上げることが億劫になってしまった**のです。

在宅勤務は通勤のストレスがないから歓迎、と思っていた方が、しばらくすると「仕事とプライベートの境界線があいまいで辛い」などと「コロナストレス」になってしまう例が少なくありません。ひどくなると先述の M さんのように仕事に支障をきたすようになってしまうこともあります。

これは決して他人事ではないと思います。**自分が意識している以上に、このコロナ関連でのストレスがかかっている**ことは紛れもない事実だということは意識しておいたほうがいいでしょう。

◆ストレスに対する「汎適応症候群」

ストレスを受けた際、人はこれらの刺激に適応しようとして反応が起こります。この反応は「**汎適応症候群**」と呼ばれ、図のように大きく「**警告反応期**」「**抵抗期**」「**疲憊**(ひはい)**期**」の3段階にわかれます。

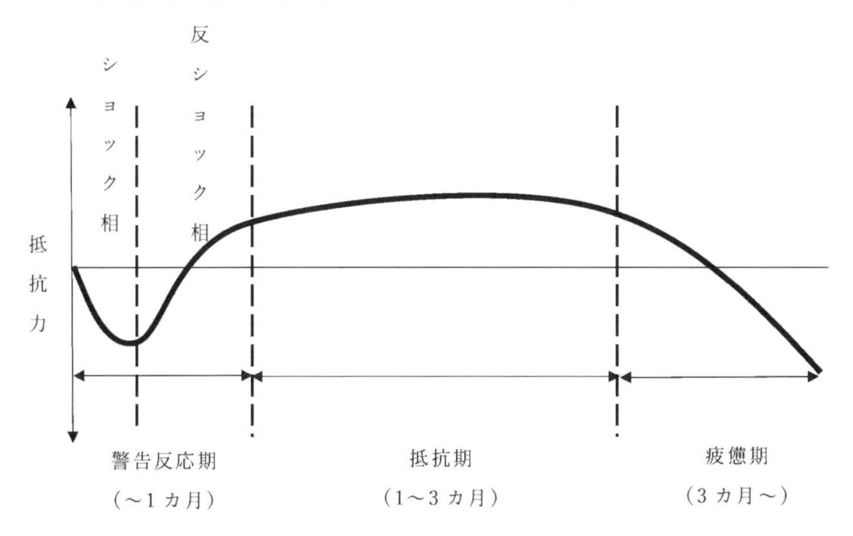

警告反応期はストレスがかかりはじめてからおよそ1カ月未満。ストレス源（ストレッサー）に対する身体の緊急反応時期となります。警告反応期はショック相と反ショック相に分かれ、**ショック相**では体温や血圧、血糖値の減少など身体への変化が現れます。その後、**反ショック相**では生体防衛反応としての体温、血圧、血糖値の上昇などがみられるようになります。

継続して1カ月ほどストレスがかかりだすと、ショックから立ち直り抵抗期に移行します。**抵抗期**とは、ストレス源（ストレッサー）に対する抵抗力が強化された状態が維持された段階のことです。

そして、ストレスが3カ月ほど継続すると抵抗期を抜け、次の疲憊期に移ります。**疲憊期**ではその名の通り、ある一定以上のストレッサーにさらされ続けた結果抵抗ができなくなり、「警告反応期」の初期の状態に近いストレスに対する「汎適応症候群」

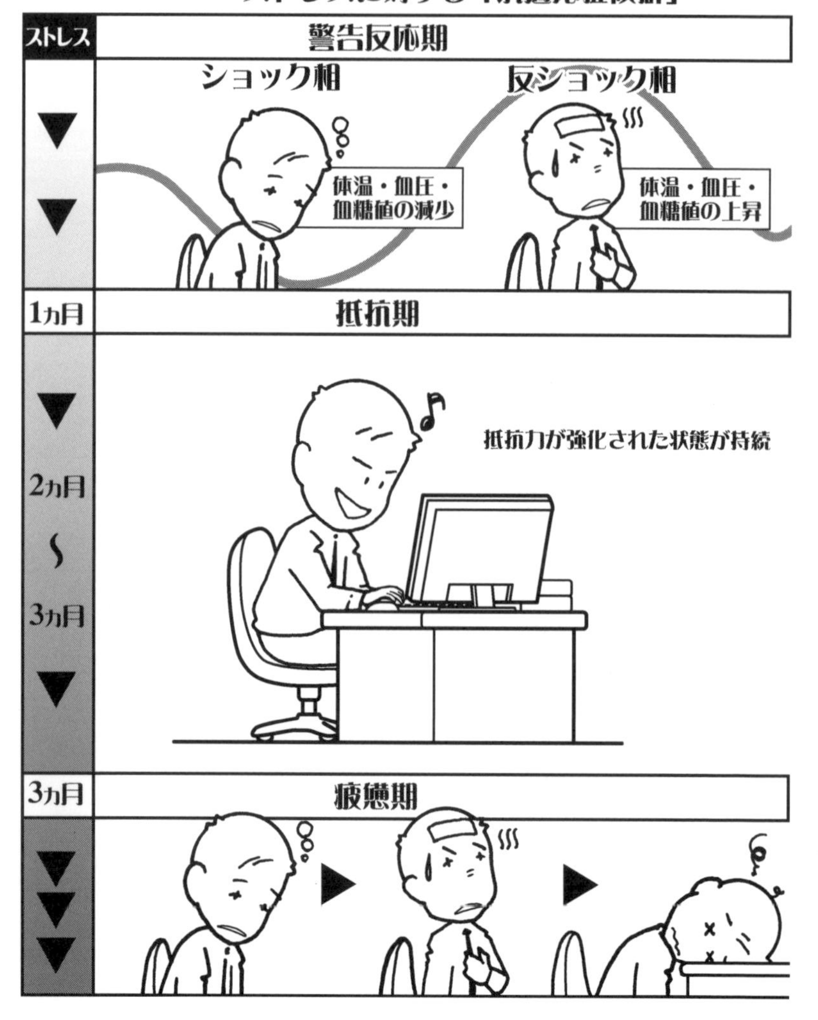

兆候がみられるようになります。**この状態を放置しておくと病気になります**。在宅勤務や外出自粛など、日本でコロナによる環境の変化が表面化した2020年3月頃から起算すると、（個人差はありますが）6月～7月頃には疲憊期に移行している可能性があるのです。

◆ 問題提起

「**企業のコロナ対策**」といわれたときに、皆さんはどのようなことを思い浮かべるでしょうか。ソーシャルディスタンシング（人と人との物理的距離を保つ）の観点からの、人が集まる休憩室や社員食堂などの利用制限や多人数での懇親会等の開催中止、いわゆる「3密」の条件が揃いやすい喫煙室の使用中止、フリーアドレス制の禁止（万一感染者が発生した際に、接触者の特定に時間がかかる恐れがあるため）、毎朝の検温実施……などがすぐに思い当たる（あるいはすでに実施されている）ところでしょうか。

コロナうつの実例でもご紹介しましたが、コロナ対策としてリモートワーク・在宅勤務などが導入されたことにより働き方が大きく変化している方も少なくありません。

弊社はコロナ以前よりリモート勤務が可能な体制を整えており、適性や担当プロジェクト進捗状況などを踏まえオフィス勤務とリモート勤務とを併用できるようにしておりましたので従業員に大きな環境変化はなかったですが、生活リズムや人と会わなくなることによる孤独感など、急激にこれまでと違う状況への適応を求められた方は心身のバランスを崩しがちです。**企業としては、メンタルケアの面での変化も求められる**といえます。

2015年に労働安全衛生法が改正され、労働者50人以上の事業場ではストレスチェック実施が義務化されたことはご存知の方も多いかもしれません。ストレスチェック義務化によって1年に1回は最低、メンタルヘルス対策について企業が省みる機会になっているのではないかと思われますが、既存の対策だけではコロナうつなどの新たなメンタル不調を見落としてしまう可能性もあるのではないでしょうか。

第6章でも詳しくご紹介しますが、厚生労働省が2006年に定めた「労働者の心の健康の保持増進のための指針」の中で、効果的にメンタルヘルス対策を推し進めるうえで必要なケアとして4つのケアを推奨しています。その中のひとつ「ラインによるケア」は、**管理監督者による日常のケア**のことを指しますが、日頃職務遂行にあたって従業員とコミュニケーションをとる中で、前述した**「いつもと違う」変化にいち早く気づけるかどうかがポイント**になります。管理監督者向けにラインによるケアの重要性を把握してもらうためのフォローアップや、傾聴スキルを身につけるための研修などの機会を定期的に設けたりすることもニューノーマル時代における必須事項になってくるといえるでしょう。管理職同士の部署を超えた事例共有などの機会もあると、ひとりで抱え込むことが減るなど、管理職自身のストレス軽減にもつながる効果が期待できます。

コロナ禍におけるコミュニケーションの形が変化していく中で、オンラインツールを活用した定期的な相互コミュニケーションの場は不可欠です。ただし、ツールを導入しているからOKということではなく、活用方法については各企業・組織間でよく話し合い、各人が心地よく使っていくためのグランドルールを設けておくと良いと思います。「コミュニケーションが対面に比べ取りづらくなる」からといって、たとえば「毎朝必ずビデオONの状態で朝礼を行ない、共有を図る」ことが良い結果をもたらすとは一概には言えないのです。

弊社も一時期毎週月曜日朝のビデオ朝礼を実施していましたが、スタッフからの疑問の声を受け廃止しました。現在では、全員が退勤時にSlack上で日報を提出し進捗報告や出退勤の時間が誰の目にも明らかになるような運用になっています。もちろん、じっくり相談したい場合は時間を決めてビデオ会議を実施することもあります。また、雑談ができるスペース（チャンネル）もSlack上に置き、管理職自ら「ちょっとした、なんてことはないような内容」の発信をしています。

ツールは皆が心地よく使えてこそのものだと考えます。適度な距離感を維持しつつ、困ったときに相談できるような体制を作り管理職自らが発信していくことが大切です。

企業として従業員のメンタルヘルスを維持していくことは、エンゲージメント向上などの観点からも経営上重要なミッションといえます。身体の不調と違い、メンタル不調は外から気づきにくいために「認識した時には手遅れだった」ということも残念ながら非常に多く見られます。義務化されたから半ば機械的に「ストレスチェックを実施している」といった対策だけでは対応が難しいケースが今後ますます増えていくと思われます。**ストレスチェックを行なうときには、チーム単位や年代別など「集団分析」を行なう**ことも職場環境の見直しなどにあたっての改善点可視化につながるためお勧めです。

各職場に応じた**メンタルヘルス対策を、新型コロナ禍をきっかけに実施する・あるいは見直す契機**にしていただきたいと思います。

第2章
メンタル不調の主な要因

◆労働時間の増大

第1章の統計データでも、長時間労働の問題が特にIT業界では多く、メンタル不調の一因になりがちなことをご紹介しました。

平成29年度労災疾病臨床研究事業費補助金「過労死等の実態解明と防止対策に関する総合的な労働安全衛生研究」によると、過労死等事案の解析として

①脳・心臓疾患での労災認定の要因の9割が「長期間の加重業務」
②精神障害（自殺を含む）において、発症年齢は男性30～39歳、女性29歳以下・30～39歳が最多。自殺者の割合においては男性40～49歳、女性29歳以下が最多。業務による心理的負荷としては、長時間労働関係が46%、対人関係関連が21%。自殺に絞ると、長時間労働関連が71%で、情報通信業では96%に達している

という結果になっています。働き盛りの世代にメンタル不調の問題が生じやすくなっています。

精神障害の中でも一番多い（58%）疾患名は「うつ病エピソード」で、業務による心理的負荷（主な原因）は「**極度の長時間労働**」「**恒常的な長時間労働**」が多いです。

なお、労災認定の目安になる「極度の長時間労働」は、直前1カ月間の時間外労働時間がおおむね160時間を超えることが目安となっています。

「恒常的」と認められる期間はおおむね6カ月とされています。

「労働時間が長すぎて辛い」と周囲に助けを求めたり、改善を求めて上司や人事などにエスカレーションできる方ばかりではありません。「**サイレントうつ**」とも呼ばれる、自分の不調を周りに伝えることができない状況に追い込まれている方もいます。しかも、このコロナ禍における**リモートワーク増加によって拍車がかかっている**ようにも感じています。

これまでは同じオフィスで顔を合わせ些細な話をしたり、ちょっとした表情の変化、機微などに触れることが自然とできていましたが、リモートワークが増加している今ではこれらをつかむことが難しくなっていることも一因と考えられます。経営者や管理職にはより一層、労働時間を把握したうえでの対処が求められます。

◆ 成果主義と描けないキャリアプラン

高度経済成長期までは、多くの日本企業が導入していた**年功序列型の人事評価制度**。年齢や勤続年数が長いほど賃金水準が高くなるというシンプルな仕組みです。

年功主義が生まれたころは工場労働者などの熟練工が多く、年齢や経験とスキルが比例したことからうまく機能し、日本の経済発展を支えてきました。どんなに優秀な社員でも、若手であれば勤続年数の長い社員より高い賃金にはなりませんが、「長く勤めれば●●上司のように出世して、賃金も上がるから、そこまで頑張ろう」という希望をもつことができました。

社員の高年齢化による人件費が高騰する、ある一定額以上の残業代を見込みたい社員の慢性的な長時間労働など、企業サイドからみたデメリットもありましたが、人材の定着率向上や「会社」への帰属意識が強まるといったメリットも大きかったように思います。

しかし高度経済成長が終わりを迎え、産業構造の変化によるホワイトカラーの増加に伴い、賃金とスキルとが必ずしも比例しなくなってきました。

バブルが崩壊した1990年代以降では、長く勤めても賃金が上がらないどころか、会社そのものがなくなる可能性もでてきています。自分よりも仕事のできない上司、先輩社員が自分よりも高い賃金をもらっており、自分がその年代になったとしても同様の賃金をもらえないかもしれない…というところから不満を強め、仕事へのモチベーションが下がるケースも増えていきました。

さらに、年功序列型の大前提ともいえる**終身雇用制度が崩壊**してきています。日本を代表する優良企業で、いわば終身雇用の象徴的存在ともいえるトヨタ自動車の豊田社長が2019年５月に「なかなか終身雇用を守っていくのは難しい局面に入ってきた」と発言したことのインパクトは強烈でした。

終身雇用制度の崩壊によって、徐々に日本企業は欧州で広まっていた**「成果主義」型の人事評価制度**を導入するようになりました。成果主義とは個人が仕事で出した成果を基準にして評価し、昇進昇格、賃金アップなどに反映させる制度です。年齢や社歴が若くとも、成果次第では高賃金につなげることが十分可能になり、（特に若手の）**モチベーションの向上**が見込めることが**大きなメリット**としてあげられるでしょう。

▼成果主義の導入によるメンタル不調

IT業界でもエンジニアの評価方法として成果主義を取り入れる企業が増えています。しかし、残念ながらこの成果主義がもとになってメンタル不調をもたらすケースも少なくありません。代表的な課題としては

- **評価基準が明確ではない**
- **評価の公平性確保が難しい**
- **社員間の連携、人間関係への影響**
- **成果が把握しづらい**

といったところでしょうか。

人間関係へのネガティブな影響としては、「自分の評価に繋がりにくい仕事を意識的に避けようとする人が現れる」ことです。

「成果主義なのだから、自分自身の仕事の成果をみてもらえればいい。チームのことを考えれば、同僚のサポートをしたほうがいいのかもしれないが、サポートをしていても自分の評価がさほどあがるわけではないからやりたくない」

と本音を漏らす人の話を私も聞くことがあります。

組織として仕事をしている以上、自分自身の能力だけ高ければよいわけではありません。チームや部署内でどのように周りの人たちの能力を調和させるかも仕事の上で求められるスキルです。しかし、個人主義に走ろうとしてしまう人が増えることで結果的に多かれ少なかれネガティブな影響が出てしまうことが懸念されます。

また、**「成果が把握しづらい」部署**があることも否めません。結果が自分からも他人からも目に見えやすい営業などは成果主義がなじみやすいですが、特にIT業界（技術職）の場合、何をもって成果とみなすかを定めることが難しく、従業員からも納得性を得られないことが多々あります。

「最近会社が成果主義を導入し、昇給月の前に上司の前で成果発表をする場を設けられたが、私の部署はR&D（研究開発）で、具体的に何か生み出せるようになるまでは数年かかる可能性も。しかし、"去年も今年も何も変わっていない"などと言われ、頑張っているのに評価が全然上がらない。何をモチベーションに仕事を続けたらよいのかよくわからなくなってきた」

と嘆くエンジニアからの相談もよく受けます。

少し前ですが、厚生労働省の平成24年調査（就労条件総合調査結果）によると、**業績評価制度（いわゆる成果主義）を導入している企業割合は全企業の36.3%**となっています。この割合は従業員数が増えるほど上昇し、従業員300人～999人の企業の63.8%、1,000人以上の企業では70.1%が導入しています。

一方で、制度導入後に何らかの改善を検討している企業の割合は75.2%

成果主義への移行に伴うメリット・デメリット
メリット
ついにボクらの
時代が〜〜
モチベーション
上がる〜〜！

評価基準が明確ではない
わ〜い
給料上がったよ〜
同じ仕事
してるのに・・・
評価の公平性確保が難しい
もしかして
嫌われてる？
デメリット
社員間の連携、
人間関係への影響
手伝ってくれない？
ボクの仕事じゃ
ないんだけど〜
成果が把握しづらい
今年も
成果は出ない
みたいだね？
うちの部署は
そんなにすぐ成果なんか
出ないんですよ〜

に上ります。この割合は企業規模問わずおおむね一定です。

従業員だけでなく、導入した企業側も問題を感じ、双方ともに納得感が得られていない様子がうかがえます。

▼キャリアプランへの影響

このように、成果主義への移行に伴うメリット・デメリットをみてきたわけですが、従業員のキャリアプランにも大きな影響を及ぼすことになってきました。

私はIT企業を中心として、30歳前後の社員を対象とした「**キャリアデザイン研修**」を行なってきました。会社の中である程度のキャリアを積んできている彼らに、今後のキャリアプランを具体的に考えて書いてもらうワークを実施するのですが、「キャリアプランを考えたくても、全然浮かばない」という声が増えてきているように感じられます。

私は、研修の後に別途カウンセリングで個別に話を聞くことにしました。

彼らからは

「年功序列なら、何歳くらいにどんなポジションにいて、部下がこのくらいいて、年収がこのくらいで、とイメージすることができました。でも今は成果主義。何をもって評価されるのかもピンときませんし、10年後といわれても、先輩と同じように自分がなっている保障などないし、イメージが全くわきません」

といった本音を少しずつ聞くことができました。

キャリアデザインに絶対的なものはなく、年功序列制度が崩れている今だからこそ自分の価値観をもとにした独自のキャリア像をつくる必要があるのですが、以前からの固定観念にとらわれてしまっている人が少なくないようです。

◆ ジタハラ

労働時間の増大に関連して「ジタハラ」が問題になってきています。**ジタハラとは「時短ハラスメント」の略**です。労働時間の増大がメンタル不調につながることは、感覚的に理解しやすいと思います。とすれば、「残業を減らして早く帰る」ことは本来従業員にとって喜ばしいであろうと考えても不思議ではありません。それがなぜ「ハラスメント」になってしまうのでしょうか。

長時間労働が大きく報じられた大手広告代理店が、労務改善策として午後10時から翌日午前5時までの全館消灯実施を発表したことをご存知の方も多いと思います。

このように長時間労働を抑制し、残業を減らそうと組織改革に取り組む企業が増えており、その取り組み自体は評価できるものです。しかし実際は、SNSなどを通じて上司から業務指示が届き、ファミレスや自宅などで実質持ち帰り残業を行なっているという現場サイドからの声も聞かれます。

「残業をするな」「早く帰れ」といくら形だけ強要しても、やらなければならない仕事が山積みの状態では**根本解決からは程遠い**わけです。

ビジネス手帳でおなじみの高橋書店が2017年11月、ビジネスパーソンを対象に働き方改革に関するアンケート調査を行なったところ、働き方改革（長時間労働の改善）に取り組む企業に勤めるビジネスパーソンの41.5%が「働ける時間が短くなったのに、業務量が以前のままのため、仕事が終わらない」という悩みを抱えていました。まさに「ジタハラ」につながりかねない悩み、ストレスだといえます。

ここで、私が相談を受けたケースをご紹介しましょう。

相談者：Aさん（20代後半）

Aさんは部長Bさん、課長Cさんのもと、10人程度の部署で働いています。Bさんは他部署との兼任のためあまり現場に顔を出さず、課長のCさんに任せきりです。このCさんが、最近Aさんたち現場のスタッフに「早く帰れ」「残業は月●時間までに収めること」「成果はこれまでと同様に出せ」などと強要するようになったといいます。仕事量が変わらないのに、これまでもらっていた残業代ももらえなくなったため、Aさんはモチベーションが下がってしまい、私のところに相談にいらっしゃいました。

Aさんからの相談を受け、課長のCさんに話を聞いてみると
「経営層の意向を受け、部長のBさんから"従業員の労務管理を徹底しないと自身の管理責任が問われる"といわれていまして。Aさんたちが退勤後自宅で仕事をしていることは知っているのですが、自分の評価も落としたくないし、かといって仕事を減らすことも現状できない。慢性的な人手不足の中、簡単に自部署に人員増加を申し出ることも難しいんですよ」

とのことでした。

経営層の意向をもとに号令をかけるまではよかったのですが、「働き方改革＝時短推奨」といった表面的な対策になってしまい、課長として長時間労働に至る業務フローやプロセスの見直しをするなど具体的な対策はとれておらず、まさに「ジタハラ」化していたわけです。

Aさんに対し、私はまず「退勤後、申請せず（できず）に作業をしている分の時間と業務内容の洗い出し」をするようにアドバイスしました。B部長もC課長も、Aさんが抱えている仕事量とかかっている時間について正しく把握できていないことは明らかでした。

ジタハラ対策には仕事量の見直しが欠かせませんが、自分の部下が抱えている仕事量を把握していない上司が多いのも残念ながら現実です。上司への相談においては、1日でどれだけの仕事をこなしているのか（こなさないとならないのか）など、**勤務実態の記録をまとめること**をお勧めしています。そのうえで人員の増員や納期の見直しなどをお願いしていくことになるでしょう。

Aさんの会社に限らず「タイムカード上は定時で打刻されているが、実際のメール送信履歴を見ると深夜まで仕事をしている」など、労働時間の実態を企業が把握できていないケースも少なくありません。長時間労働の改善を根本から行なう上で欠かせないのは、この「実態を正しく把握する」ことです。マネジメントができていないといわれると困るからと、定時で申請しつつサービス残業をするケースなど、人事上の数値だけでは把握しきれていない「ブラックボックス」をなくすことが先決です。正しく把握する過程のなかで、どこの部署に仕事が偏っているのか、その長時間労働状態が恒常的に続いているのかどうかなどの原因が少しずつ見えてくるでしょう。原因がわかったところで、どこから手をつけるべきなのかを判断していくことになります。

あるIT企業では「翌週月曜日までに必要な修正を金曜の夕方に依頼される」ような超・短納期の案件でも「売り上げのためにはやむを得ない」と受注していました。その結果従業員は土日休み返上で対応を余儀なくされ、「粗利が下がる」という管理職からの圧力から残業代の申請もできない状態でした。

恒常的に超・短納期の案件対応が続いたことから従業員のメンタル不調による離職が相次ぎ、さすがにこのままではまずいと経営層が対応を改めるに至りました。そして「売上がたとえ下がっても、従業員の健康のためにそのような急ぎの仕事は今後受けない」という方針に変更されることになりました。その結果、一時的に売上は下がりましたが、現場の負担はかなり軽減され**「自分たちのことを考えて会社が動いてくれた」と従業員のモチベーションは回復**。さらに業務の生産性が上がるという嬉しいおまけつきでした。

ジタハラのもとになっている長時間労働改善のためには、「今までやってきたけれどこれからはやらない」業務もときには発生するでしょう。この企業では、経営層が客先に対し理解を求める断固とした姿勢をとったことで改善に向かったのです。現場ではなかなか「やらないでいい」業務を判断できませんので、**経営・マネジメント層が自ら判断し、全社の方針として徹底**させていくことが求められるといえます。

相談者Aさんのジタハラの場合ー
C課長は
「早く帰れ！」
「残業するな！」
「成果は出せ！」
その結果が自宅残業ですよ〜！
もうモチベーション
下がりっぱなしですよ！
Aさんの上司C課長に聞いてみるとー
部長からのプッシュもキビシいし、Aくんたちが自宅で仕事
してるのも知ってるけど、自分の評価も落としたくないし・・・
部長
勤務の実態を
正しく把握してください

◆ 職場での人間関係

労働時間や見えづらい今後のキャリアプランだけでなく、「職場の人間関係」も欠かせない要因です。医師専用コミュニティーサイト「MedPeer」運営会社が産業医500人を対象に、従業員のメンタル不調の原因について調査したところ、パワハラ（3位）、長時間労働/業務過多（2位）を抑え「職場の人間関係」が1位になっています。また、人間関係の中でも**特に「上司との人間関係」**と答えた割合が4分の3を占める結果となっています。

上司との人間関係に悩んで相談に見えた方々の**例をいくつか**みていきましょう。

Bさん（30代）は、理不尽な行動をとる上司（40代）との人間関係で悩んで相談にいらっしゃいました。昨日と今日とで正反対のことを言ってきたり、自分から「●●日までに提出して」と期日を指定し、その期日がまだ来ていないにもかかわらず「資料はまだできないのか、遅い」と叱られたり。「●●日と聞いていたので、まだ途中です」というと逆上されることもあるため、いつもピリピリしてしまうといいます。今ではその上司が自席に近づいてくるだけで動悸がする始末。

Cさん（20代）の上司（40代）も問題上司でした。ある日、Cさんがちょっとしたミスをしたときがありました。幸い社内文書でのミスであり、クライアントに迷惑をかけることはなかったのですが、「上司に提出する前に確認が足りない。ちゃんと真面目に仕事しているのか」などと課員全員の前で叱られてしまいました。全員の前で叱らなくても…と思ったものの、次は同じようなことで指摘されないようにと慎重に文書作成に勤しむようになったCさんでした。

そんなある日のこと、Cさんの1年後輩が同様のミスをしてしまいました。ああ、また上司が全員の前で怒るのかな…と思っていたCさんでしたが、上司は「次は気を付けて」と笑うのみ。上司は贔屓が激しく、後輩はかなり上司から好かれていたようでした。Cさんをはじめ、上司から好かれていない人たちのモチベーションは下がり、仕事のやりがいがみえなくなっていました。

Dさん（30代）の上司（50代）は、明確な指示を出せないタイプのようでした。ざっくりとした方向性を示し、「あとはDさんに任せるから」と半ば丸投げ状態で仕事を振るのですが、Dさんが上司に提出すると「これは僕のイメージとは違うんだよな」などといわれ、結果振出しに戻ってしまうことも。

Dさんが「そのイメージとはどんなイメージなのか、もう少し具体的に言語化してもらうことはできないか」と頼んでも、「それを形にするのが君の仕事だ」などと言われてしまい、なかなか仕事が進まないのだといいます。Dさんは「上司の意をなかなかくみ取れないのは、自分が仕事ができないせいなのか」とすっかり落ち込んでしまっていました。

このような**「特定の人へのえこひいき」や指示が朝令暮改**だったり**あいまい**だったりする上司、見せしめのように叱ったり**威圧したりする理不尽な**上司にあたってしまい、メンタルを病んだり仕事の生産性が下がったりということ、皆さんももしかしたら経験されているかもしれませんね。

さらに中間管理職になってくると、理不尽上司といわゆる「ゆとり世代」部下の**板挟みで悩むケース**も見受けられます。

▼「逃げる」こと

組織であれば、自分か上司が他の部署に異動にならない限りはこの嫌な人間関係は続くことになります。基本的に、自分で頑張ったとしても上司を変えることはできません。**いかに理不尽上司からの被害を最小限にとどめられるかが、メンタル不調を防ぐポイント**になります。

そんなことを言われても実際どうしたらいいの？という声が聞こえてき

そうですね。この対策が絶対だ、というような処方箋をご提示できるわけではないですが、私がお勧めしているのは**「逃げる」こと**です。

とはいえ、企業・組織に属しているならば、いかに理不尽上司だったとしても「上司から頼まれた仕事をやらない」あるいは「露骨に無視を決め込む」といった、あからさまな「拒否・拒絶」をすることはできないはずですし、当然お勧めもしません。では何をもって「逃げる」といっているのかというと、上司を理解しようと思うことから「逃げる」ことのススメです。

人間、相手に期待してしまうからこそ、自分の意に沿わない結果が目の前に来た時にがっかりしたり、落ち込んだりするのです。「上司は○○であるべき」（○○は各人によって異なります）といった自分の中の価値観が崩された時にネガティブな感情が湧き上がってきます。ネガティブな感情を抑制するための一番わかりやすい方法が「**相手を理解できるとも、相手に理解してもらえるとも思わないこと**」です。この前提が変わるだけでも、たとえ上司の言動が同じ（理不尽と感じられるなど）であったとしても、自分自身の捉え方が違ってきます。相手は変えられなくとも、自分の考え方、捉え方は自分で変えたりコントロールしたりできるはずですから。

振られた（押し付けられた？）仕事があったら、いかに早く済ませられるかに焦点をあて、**余計な感情を挟まないようにして淡々とこなす**ことに注力しましょう。トイレ掃除が大好きという方は多くないのではと思いますが、それでも誰かがトイレを掃除しなければならないのでさっさと片づけてしまおう、という心情と近いところがあるかもしれませんね。

それでも、「本当にダメだ、これ以上耐えられない」と思うことがあれば、その職場から「逃げる」ことも真面目に考えたほうがいいでしょう。メンタル不調が悪化してしまうと、その職場から離れたほうがいいかどうかの判断が自分でできなくなる可能性があります。そうなってしまってからでは遅いのです。

■コラム■「スヌーピーカウンセラー®」がアドバイス スヌーピーの知恵①

怒りを外に出さないでいるのは良くないわ、チャーリー・ブラウンールーシー（1979年5月13日作　PEANUTS）

精神科医に扮したルーシーが開く「心の相談室」に相談にやってきたチャーリー・ブラウン。ルーシーは、チャーリー・ブラウンがものすごく怒りを抑えているのでは？と感じていますが、チャーリー・ブラウン自身は自覚がない様子。

ルーシーに「怒りを外に出さないのは良くないから、遠慮せずに叫んだり、言いたいことを何でも言ってみたら」と勧められますが、「チェッ」と舌打ちするのがやっとのチャーリー・ブラウンなのでした。

皆さんの周りにも、このチャーリー・ブラウンのような人がいるかもしれませんね。

怒りは私たちが自然に持っている感情です。あるときは生きるエネルギーとしての役割を果たし、あるときは自分を守る役割を果たします。しかし、中には「あまり良くない感情」として、幼い頃から怒りを表面に出すことを我慢したり、自分の心の中に閉じ込めておくことが習慣づいてしまっている方がいらっしゃいます。心の中に怒りをため込みすぎると、小さな怒りがだんだん大きくなり、しまいに自分で抱えきれなくなってしまいます。そうなる前の対処法として、ルーシーのアドバイスが参考になります。

まず「**怒りをため込んでいることに気づいて認める**」こと。その次に誰かに相談し「**できるだけ小さいうちに外に出す**」こと。怒りのもとは、たいていが「●●してほしい」というような些細な不満や要求です。「自分にとって当然そうあるべきだと思うことが、そうなっていない」ことから、不満や要求が生まれます。その不満や要求を攻撃にならないように口に出すことから始めましょう。しかし、自分以外の人も同じように感じているとは限りません。言葉で伝えることを意識しましょう。

第3章
IT 業界特有の要因

IT 業界は「メンタル不調者が多い」と指摘されることが少なくありません。なぜなのでしょうか？

IT 業界の中でも、多くの会社数（および事業収入）を占めているのは「**受託開発ソフトウェア業**」。総務省・経済産業省「平成 30 年情報通信業基本調査」によると、事業収入（売上高）の約 50％に上る結果となっています。

この受託開発ソフトウェア業においては以前より**独特の業界構造**があり、結果としてメンタル不調者を多く出すことに繋がっていると考えられます。

以下でその構造とメンタル不調につながる要因をいくつかご紹介していきます。

◆ 多重下請け構造

受託開発においては特に「下請け構造」がよく用いられています。図を使って説明していきます。

図 1 をご覧ください。

一番上に書かれている、顧客企業や官公庁が仕事の「**依頼主**」にあたります。そして、依頼主から直接仕事を請け負う事業者は「**元請け（もしくは 1 次請け）**」といいます。これに対し、依頼主からではなく元請けの事業者から仕事を請け負う事業者は「**下請け**」と呼ばれます。

さらに、元請け企業は通常 1 社ですが、下請け企業は 1 社とは限りません。図では、SIer（大手システムインテグレーション会社 Z）が受注した業務を中堅ソフトウェア開発企業 A 社に発注しており、A 社は「**2 次請**

け」と呼ばれるポジションになります（下請けの一番初めということで「**1次下請け**」とも呼ばれます）。

さらにA社が中小ソフト開発企業B社へ発注すると、B社は「**3次請け（もしくは「2次下請け」）**」になります。

図1：代表的な多重下請け構造

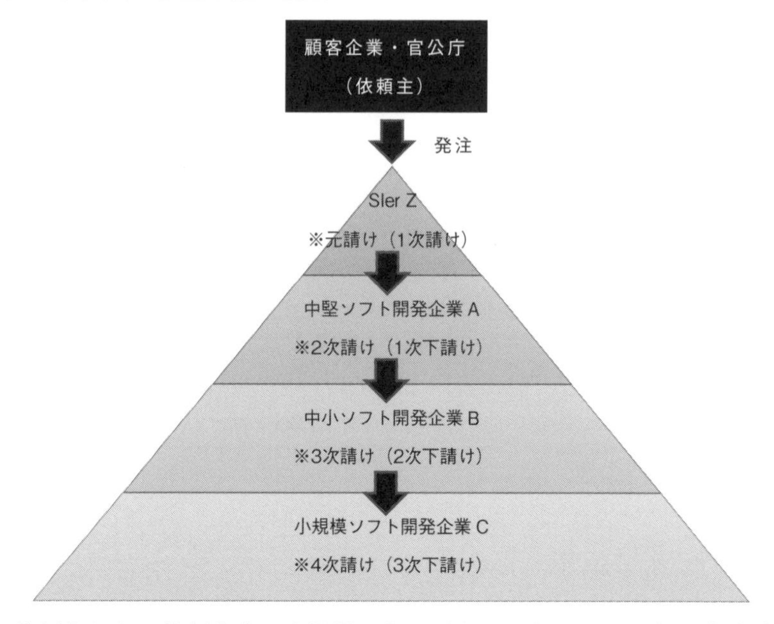

依頼主からの依頼内容が大規模になればなるほど、このように業務委託が多層的に行なわれることがあります。そして、下請けの階層が2次、3次、4次……と深くなるほど、多くは担当企業の規模も小さくなります。元請け企業が2次請け企業に発注する際は自社マージンを引いた額での発注となるためです。この多重下請け構造は元請け企業を頂点としたピラミッドに例えることができます。

直近では新型コロナ支援策のひとつである経済産業省の「持続化給付金」支給事業を受託した一般社団法人サービスデザイン推進協議会の再委託問題が記憶に新しいでしょう（2020年7月13日現在、明らかになっているだけでも8次下請け会社まで存在）。

この多重下請け構造に加え、**システム開発の流れ**についても触れていきます。

図２：代表的なシステム開発の流れ

顧客から依頼

↓

システム企画提案
（顧客の要求を理解し、システム化する内容、
開発期間等をまとめる）

↓

要件定義
（開発開始前に、システム概要および実装する機能を定義する）

↓

システム設計、見積作成
（要件定義に基づき必要な機能を実装するための
具体的な方法を検討。
本設計内容をもとに実装期間や費用予想を見積、
顧客同意を得る）

上流工程（システム企画提案〜システム設計、見積作成）

↓

システム開発
（機能実装）

↓

テスト
（開発したシステムが要件通りに作られているか、
問題なく動くか確認）

↓

納品
（完成したシステムを顧客に引き渡す）

下流工程（システム開発〜納品）

代表的なシステム開発は、大まかには前ページの図の流れをとります。

システム企画提案→要件定義→システム設計・見積作成までの、図の上の階層にある工程で、システム全体に関わる部分を「**上流工程**」、システムを実際に開発し納品するまでの工程（図の下の階層部分）を「**下流工程**」と呼びます。

先述の多重下請け構造にあてはめてみましょう。

元請け企業は顧客と直接やり取りしますので、図２の「**上流工程**」を主に担当することが多いです。予算と開発期間を決め、それに見合う下請け企業に仕事を発注するのです。これはすなわち、**下請け企業**が開発をはじめとする**下流工程を担当する**ということになります。ここに、多重下請け構造下におけるシステム開発の難しさがあります。

上流工程を担当する企業のエンジニアによって作られた仕様やスケジュールに基づき、下流工程を担当する企業のエンジニアが開発作業を行なうわけですが、開発の過程においては意図せぬトラブル発生などの影響により、途中での仕様変更が生じてしまうことがたびたびあります。

最初に見積もったスケジュールでは納品に間に合わないことが判明したものの、納期を後ろにずらすことができないために、**結局下請け企業が長時間労働をして対応するほかなくなる**こともでてくるのです。

さらに、ピラミッド上位階層の企業は発注先である下請け企業の社員に対する労務管理をする法的責任を負いませんので、長時間労働、そしてメンタル不調が発生しがちです。発生した際に気づきが遅れ、適切な対処ができないリスクがあるといえます。

◆ 客先常駐

下請け企業の多くは、**自社内ではなく「客先常駐」で開発**を行なっています。毎日客先に出勤し、終日客先で働いてから自宅に戻るというものです。

システムに関する打ち合わせやセキュリティの問題などから、顧客が指定した場所に常駐することを契約の条件にするところも少なくありません。給与が支払われる所属会社は別にありますが、事実上の職場は客先ということです。１つの顧客の案件に複数の企業が協力・分業するということになり、自社から送り込まれる社員は自分一人だけという例もあります。

私がこれまで相談に乗ってきた IT 業界社員からの悩みの中には「**客先常駐が辛い」という話**が相当数あります。

A さんの事例を紹介します。

A さん（27 歳）

従業員 100 人規模の中小企業 X に勤めるソフトウェアエンジニア。大学卒業後に飲食店に就職するも、エンジニアになりたいという学生時代からの思いに蓋をし続けることができず、２年で退職。エンジニアを広く募集し、実務未経験者も積極採用していた X 社に採用されました。

A さんの入社の決め手は未経験 OK ということに加え、最先端技術開発の取り組みが魅力と聞いたことでした。さらに顧客には官公庁や大手有名企業が名を連ねるため、スキルアップができそうだと感じたことも入社を後押ししました。

社内での新入社員研修を終え、いよいよ実プロジェクトで先輩に色々聞きながら実践を積めると考えていた A さんでしたが、告げられたのは「客先の H 社への常駐」でした。

３カ月前に X 社から先輩社員が２名常駐しているから大丈夫だ、と聞かされていたものの、いざ現場に行ってみると２名の先輩社員は退職予定者と判明。１名はＡさん配属からわずか２週間後に、もう１名も２カ月足らずで辞めてしまい、「いい人材が採用できないでいる。採用募集はかけているからもう少し（自社からは）１人で頑張ってくれ」といわれ、スキルの面はもちろん、人間関係においても心細い状態に置かれてしまいました。

２名退職後の人員補充がないこともあってあまりに忙しいため、現場の他の会社のエンジニアとの交流機会もない状況です。

「時々自分がどこの会社の人間なのかわからなくなります。自社に帰るのは月１回の経費精算報告の時くらい。自社の社員も知らない人が増えているし、会社への帰属意識はなくなってきているし、なんだか辛いです」

と話してくれました。

Ａさんのようなお話は決して珍しくありません。

・未経験入社にもかかわらず、短い新人研修のみで客先常駐になってしまった

・自社の社員がいない

・周りの他のエンジニアに質問したくてもなかなか難しい

というネガティブ要素がそろってしまっているのです。事実、下請け企業の社員だからと、扱いが悪い元請け企業の社員も残念ながらみられる現状もあります。

自社の社員がいない中での客先常駐は、会社としてメンタルヘルス体制の構築が難しくなることが多いといえます。

月１回程度の帰社日を設けている会社や、週１回程度営業担当者が常駐先を訪問し、勤務状態をチェックしているところもみられますが、やはり「ケアがしづらい」と苦心する人事担当者は多いものです。

月末に提出された勤怠表をみて慢性的な長時間労働を把握し、産業医面談を設定しようとしても、「面談のために現場を抜ける」ことが難しく、面談を組めないでいるうちにストレスを抱え込み……という歯がゆい状態になることも珍しくありません。

先述した帰社日を設けるなどの方法が対策になりうるのか？という点については、「帰社日のタイミングで自社の人に現場での悩みや不安などを相談してもらう」ことができれば、効果が期待できるとは思います。ただし問題は「自社の人間だから相談できることもある」と考えられるような人間関係がそもそもあるか？というところではないでしょうか。「客先で疲れているのに、帰社日があるのは負担でしかない」「悩みを相談できるほど、自社の人との信頼関係などない」「言ったところで、結局客先のことは改善など難しい」という本音もよく聞かれます。

客先常駐という形態をとる以上、これらの問題への根本対策はないと私は考えています。

客先常駐
Aさんからの相談
(下請けのこの辺り)
未経験なのに客先常駐になっちゃいました
ボク以外にうちの会社の人がいません
周りの人に質問するのが難しいです
どうしたらいいでしょう
根本的には、下請け構造の改革が必要です

◆ドッグイヤー

1990 年代後半からよく使われた、**情報技術分野における革新のスピード**を表す概念に「**ドッグイヤー**」という言葉があります。

通常 7 年くらいかかって変化する出来事が IT 界隈では 1 年で移り変わることを、人間の 7 年が犬の 1 年に相当する（犬の寿命は平均 12 ～ 15 歳くらい）ことからそのように呼ばれるようになったわけですが、今や革新スピードはさらにあがってきています。

人間の 18 倍の早さで成長するねずみ（マウス）にたとえ「マウスイヤー」という言葉まで登場するようになりました。

ほかの業種と比べても、IT 業界は変化が多いといわれています。システム開発の流れについて先述しましたが、この流れもこの 4－5 年で変化が加速していくのではないかと考えられています。

デジタル技術の発展、産業構造変革などに伴い**デジタルトランスフォーメーション（以下 DX）が推進されていく**ことが求められています。

▼将来の像が描きにくい事情

デジタルトランスフォーメーションは簡単に説明すると、データや進化したデジタル技術を駆使して、

・**従来なかった製品やサービス、ビジネスモデル**を生み出す
・既存のビジネスに対して生産性の向上やコストの削減などが実現できるように、**これまでのビジネスプロセスを再構築**する
・これらを実現するために、**企業のあり方を見直し、ビジネス全体を根底から大きく変革する**ことをさします。

多くの企業では、新しいデジタル技術を活用することで競争力を維持・強化していく必要性に迫られています。ビジネスプロセスの再構築はなかなか難しく、**本格的に DX 対応を進められる企業は多くない**ことが課題と

なっています。経済産業省も2018年9月に「DXレポート」を出し、その中で「現在の状況が続くと2025年を節目に多くの問題が生じる」と指摘しています。

多くの企業が引き続きDXに対応しきれなかった場合、**既存ITシステムがDX推進の障害になる**ことが予想されています（システム維持管理費用の高騰やIT人材不足に伴い保守運用の担い手が減り、新しいIT戦略への注力が難しくなるなどの問題が生じる可能性が高い）。このことは **"2025年の崖"** と呼ばれ、日本経済に2025年から2030年にかけて年間約12兆円の経済損失が発生する見込みとなっています。

そのため、システム開発は徐々に**アジャイル型開発などへの転換**が提唱されつつあります。上述のとおり現在主流を占めているシステム開発形式では、先に上流工程で要件をしっかり定義したうえで具体的な開発作業に入るのが一般的です。それに対しアジャイル開発においては要件を事前に固めることはせずに、トライアンドエラーを繰り返しながら小規模単位での開発を進めていくという形式をとります。

DXの推進が進むと、大規模受託ソフトウェアの開発は減少することが予想されます。そのかわりにクラウドを活用した**アプリケーション提供型への転換**が加速すると考えられます。

このような業界特有の事情に加え、終身雇用制の崩壊や新型コロナウイルスをはじめとする災害など、意図しない形で生活環境が大きく変わることになりました。それに伴い、以前と比べると**確固とした将来像を描きにくい時代**になったといえるでしょう。

面談の中でお話を伺うと、

「今までの常識が数年で通用しなくなるので、変化し続ける業界についていけるか不安になった」

「新しい技術がどんどん出てくるので、自分たちがこれまで学んだ技術は必要とされなくなるのか？」

「長い時間をかけて勉強してきた技術が、新たに登場した技術に置き換えられて不要になってしまうのはつらい」

といった声が多く聞かれます。

まさに激動の時代、**変化についていけずにメンタルを壊す**方も少なからずいらっしゃいます。また、自らのキャリアをどのように考えていけばよいかについて悩まれる方も多くみられます。そこで取り組んでいただきたいのが、ご自身の「キャリアデザイン」を考えていく作業です。

▼キャリア理論

キャリアデザインは、将来のあるべき自分の姿を描きながら、仕事と自分の心地よい関係を築くために実施することをお勧めしています。ここでご紹介したい１つの**キャリア理論**があります。アメリカ・スタンフォード大学の名誉教授、ジョン・クルンボルツ博士が提唱した「**計画された偶然性理論（Happenstance Learning Theory)**」というものです。

人生で遭遇するさまざまな出来事のほとんどは、自らが計画したことではなく「予期せぬ出来事」です。

博士自身、テニスに夢中になりすぎて大学での専攻分野を決められずにいたところ、

・「たまたま」テニスのコーチに相談した

・相談したコーチが「たまたま」心理学担当の教授だった

・そのコーチに勧められたのが「たまたま」心理学だった

という偶然が重なり、心理学の世界に足を踏み出したのだそうです。

予期せぬ出来事を「自分にとって望ましいキャリアの機会」とするために必要なスキルがあると、クルンボルツ博士は述べています。そのスキルとは**以下の５つ**です。

・**好奇心**（新しい機会をつかむ）

予期せぬ偶然の出来事を「必然のもの」に変えるためには、あらゆる出来事に関心を持つこと、持ち続けることが大切です。自分の専門分野だけ

でなくさまざまな分野へ視野を広げることで、新たなキャリアの機会が増えます。

・**持続性**（やりたいか・やりたくないかを大切にする）

なかなかうまくいかなくて落ち込むこともあるでしょう。そんなときは、「やりたいか、やりたくないか」を自分の心に問いかけてみましょう。その結果やりたい気持ちのほうが上回るのであれば、頑張って続けてみることをお勧めします。初めはうまくいかなかったとしても粘り強く続けることで、新たな展開が生まれる可能性がでてきます。

・**柔軟性**（他者のアドバイスに心を開くオープンマインドを持つ）

状況は常に変化していきます。自分の思い込みやこだわりに固執せず、状況に応じて他者からのアドバイスなどにも心を開くことが自身の幅を広げます。他者からの新たな視点を受け、柔軟に信念や行動などを変えることができれば、別のチャンスがつかめます。

・**楽観性**（「自己効力感」を持つ）

自己効力感とは、カナダのアルバート・バンデューラという心理学者が提唱した概念のことです。簡単に言うと何らかの困難な状況が生じたとしても、自分の行動や能力に対して「何とかやれる、対処できる」と思えるかどうかです。異動や休職、リストラなどたとえ自分の意に沿わないことが生じても、「成長する機会をもらえたと考えよう」などと前向きにとらえることでキャリアを広げていくことが可能です。

・**冒険心**（やらないことのリスクを考える）

新しいことを始めるときは多かれ少なかれ「うまくできるかな」「できなかったらどうしようかな」などと不安を持つとは思います。しかし、結果がどうなるかわからない場合でも、まず行動を起こしましょう。失敗することがリスクなのではなく、やらないこと自体にリスクがあるかもしれません。

キャリアデザインのための5のスキル
SKILL1
好奇心
新しい機会をつかむ
SKILL2
持続性
やりたいか・
やりたくないかを
大切にする
やりたい！
SKILL3
柔軟性
他者のアドバイスに
心を開くオープンマインドを持つ
SKILL4
楽観性
「自己効力感」を持つ
自分はやれる！
SKILL5
冒険心
やらないことの
リスクを考える
やる
やらない

私自身もキャリアデザインの研修などで、自身のこれまでの経験を上記5つのスキルを使って整理することを取り入れています。1つ例をご紹介します。

今までPHPを使ったプロジェクトしか担当したことがなかったあるエンジニア**Sさん**が、異動の打診を受けました。異動先ではJavaを使ったプロジェクトを担当することになるとのこと。Sさんはずっと PHP 一筋で来たため、Javaという言語を覚えることは「意に沿わない」ことであり、何より本人の専門分野でもありませんでした。

しかしながら、Sさんは異動を受け入れることを決断しました。「新しいことを知るいい機会だからJavaを頑張って知識を増やそう」と気持ちを切り替え勉強をスタート。JavaもPHPもプログラミング言語には変わりないと思えるようになったのです。さらに「まったくのプログラミング未経験者でもJavaを覚えられた」という異動先の先輩からの声を聞いたことも、Sさんの決断を後押ししました。

Sさんのこの例を先ほどのスキルにあてはめてみましょう。

・「**好奇心**」: PHPしかやりたくない、ではなく、自分の知らなかったJavaという分野を学び知識を増やそうとした

・「**柔軟性**」: 異動先の先輩からの声を聞き、新しい言語を覚えることも、これまでのPHPの知識があればなんとかなるだろうと思ってチャレンジすることにした

・「**楽観性**」: 意に沿わない異動をネガティブにとらえず、新しい分野を知るチャンスだととらえた

どうでしょうか。このようにみていくと、結構あてはまりそうですね。

このコロナ禍で実感している人もいらっしゃるかもしれませんが「私はこれが専門だからほかはできない、やりたくない」というような硬い考え

方では対応できないことも増えています。

VUCA（「Volatility：変動性」「Uncertainty：不確実性」「Complexity：複雑性」「Ambiguity：曖昧性」の頭文字をつなげた言葉）**時代とされる現代**において、ほんの少し先のことですら予想することは難しくなってきています。それゆえ、自分の意図しない形で職業生活が進行していくことは往々にしてあり、特に IT 業界はそのペースが速いことは先述の通りです。ただそのことを「**計画通り、予想通りにいかなくても当然だ**」「**偶然の出来事はひとのキャリアに大きな影響を及ぼし、かつそれは良いものである**」と考えられるようになると、メンタルヘルスの維持に一役買います。そして意識的に行動することにより、結果として自身にとって良いキャリアの機会にすることができるというクルンボルツ博士の理論は、現代の IT 技術者にも十分適用できるものといえるでしょう。

第４章
病みやすいIT 技術者の特徴

同じ仕事や役割を担っているIT 技術者のなかでも、全員がメンタル不調になるわけではありません。私がこれまでサポートしてきた中で「病みやすいIT 技術者」の特徴が見えてきました。本章ではその特徴および基本的な対応策についてご紹介します。

◆どういうタイプが「病み」やすい？

IT 技術者によくみられる**ストレス要因**には以下のものがあげられます。
・人手不足
・長時間労働（休めない）
・ドッグイヤー（情報産業における技術革新など変化のスピードが速いこと）
・下請け構造
・厳しい納期、顧客の無理な要求
・顧客からの強いプレッシャー
・円滑でないコミュニケーションや人間関係

先述のとおり、長時間労働はIT 業界ではよく問題に上がっています。顧客からシステム開発を請け負う際に仕様が固まっていないということは、残念ながらよくみられます。本来、上流工程の要件定義においてしっかり行なうべきところですが、要件定義が迷走したまま顧客の求める納期に間に合わせるべく、かなり厳しい納期下でシステム開発を進めなければならないといった状況が起こります。

このような状況の下、要注意といえる病みやすいタイプについてふれてみます。

病みやすいタイプ①：
完璧主義、自分に過度に責任を感じてしまう、自己犠牲

メンタルヘルス疾患の代表例である「うつ病」。古典的なタイプのうつ病になりやすい人の気質・性格の1つとして知られるのが「執着気質」。責任感が強く完璧主義な傾向があります。

個人成績も優秀な場合が多いですが、責任感が強すぎるがゆえに過度に自分が責任を感じてしまい、無理を重ねてしまいます。自分自身の心身の状態に気づかないか、気づいたとしても見て見ぬふりをし熱心に仕事に取り組んでしまう方も多いです。その結果周りが不調に気づいたころには状況がかなり悪化してしまうケースも少なくありません。

事例①：Kさん（31歳）

Kさんは中堅企業A社のエンジニアです。

A社は大手有名企業M社からECサイトの開発プロジェクトを請け、Kさんはこのプロジェクトリーダーに任命されました。

同期入社のメンバー内で初プロジェクトリーダーとなり気合が入っていたKさんでしたが、M社が担当した要件定義の漏れなどもありシステム開発は予定通り進まず、毎日のように仕事を家に持ち帰るほどの業務量が3カ月以上続いていました。

納期をずらせられないかと思ったKさんでしたが、M社からは「開発中のサイトリリース日は後ろ倒しできない。なんとか期日までに納品してほしい」といわれてしまい、プロジェクトに新しいメンバーをいれることも、他プロジェクトの兼ね合いでできず、結果厳しい納期へのプレッシャーがのしかかっていました。

プロジェクトリーダーとしてチームをコントロールできないことから、円形脱毛症になるくらい気持ちが追い詰められていると相談にみえました。

Kさんの生い立ちを伺うと、ご両親から常に、「テストでは満点を、オール5を」、といった具合に言われ続けて育ったとのことでした。

物事を完璧に達成しないと認められない、というように、高い理想を自分に課す習慣づけがされているのです。

社会人になってからも、「常に同期よりも早く出世しなくては」「完璧なリーダーでなくては」「仕事は周りの人よりもこなさなければ」と頑張り続けた結果、円形脱毛症になるくらい体に変調をきたしてしまったのでしょう。

Kさんの思考の特徴として

・完璧に物事をやり遂げないと、自分を認めることができない
・「〜ねばならない」と思い込みすぎる

という2点があります。それに加え、IT業界特有の厳しい納期や顧客からの無理な要求（本来A社の責任範囲外である要件定義の漏れにより、開発に要する時間が当初の想定よりもかかることになったが、納期が変わらない）という難儀な状況が重なり、大変なストレス状態に置かれたことは想像に難くありません。

完璧にやりたいと思うこと自体を否定するわけではありませんが、自身でコントロールできないことまで過度に「〜ねばならない」と思って自分を追い込みすぎることは、正直エネルギーの無駄といってもよいでしょう。

▼対応策は？

そんなことをいわれてもどうしたらいいのかわからない、という方もいらっしゃるかもしれませんね。考え方の癖を治すことは急には難しいとは思いますが、意識していただきたいことがあります。

「〜ねばならない」と頭に浮かんだら、「〜ありたい」と変換してみてください。

たとえば、

「完璧にやらなければならない」→「完璧でありたい」

自分自身に絶対的な要求を突き付けて苦しむ前に、自分にとって望ましいことが何か？ということに意識を向けるのです。

「完璧にやらなければならない」
→「完璧でありたい」
→「でも、いつもフルパワーで物事を進められるわけでも、周りも同じように考えて動いてくれるわけではないから、仮にできなかったとしても仕方ない」

「自分は大学院卒で、ほかの同期に比べて年齢が2歳上だから、同期30人の中で一番に昇格しなければならない」
→「(前略) 一番に昇格したい」
→「でも、ほかの同期も努力している。そんな簡単に一番はとれないかもしれない。一番が仮に取れなかったとしても、努力は続けていこう。そして、努力している自分を認めよう」

という感じで**変換していく**のです。

いきなりはできないと思いますが、トレーニングだと思って変換する言葉を探すことをぜひ試してみてください。

トレーニングにあたっては、「**自身でコントロールできることとできないことを区別する**」作業をすることが大切です。

自分の思考や行動はコントロール可能です。しかし、基本的に過去や未来、上司など自分以外の人の行動などはコントロールできません。相手があることに対し、自分がどんなに頑張ったとしても、結果思い通りにならないことはあります。それは仕方がないことと割り切りましょう。

自身でコントロールできないことに一喜一憂するのをやめ、コントロールできることに注力しましょう。そして、可能な限り頑張った自分を認めてあげてください。

病みやすいIT技術者の特徴　タイプ1
完璧主義・過度の責任感がある
リーダー
仕事が予定通り進まない
納期は伸ばせない
家に仕事を持って帰る
チームをコントロールできない
責任
仕事
納期

■コラム■「スヌーピーカウンセラー®」がアドバイス
スヌーピーの知恵②

カウンセリングにお越し下さる方の中には、非常にまじめで頑張り屋さんの方が多いように思います。1人で悩みを抱えて頑張ってきた方、弱音をはきたいのをぐっとこらえて頑張ってきた方、傍から見たら十分頑張っているように見えるけれど、本人からすると「頑張りが足りない」と感じてさらに自分自身にプレッシャーをかけている方、など様々です。

Oさんは1年前にシステム開発部の主任に昇進し、10名の部下を統括する立場になったことを機に、仕事量が激増しました。昇進タイミングも通常よりも2～3年早く、社長や部長からはわが社の期待の星だと言われ、どんどんOさんのもとに仕事が殺到していました。同時期に子供が産まれ父親になったことも重なり、Oさんの心身の疲れはピークに達していました。傍から見てもその疲労の色が色濃く、その様子を心配した人事部長の勧めでカウンセリングを受けにいらっしゃいました。

Oさんは「思い返せば、この1年、社長や部長の期待に応えたいと走り続けてきたのかもしれません。部下の進捗管理、経営陣へのプレゼン、他部署との調整など仕事はたくさんありましたし。家に帰っても、乳飲み子が待っていますから、ゆっくり休めるという感じでもないんですよね。妻はたまには出かけてくればというけれど、妻は妻で寝不足の中子育てを頑張ってくれていますし……」と話してくれました。

Oさんは自他ともに認める「頑張り屋さん」。学生のころから勉強も部活動も手を抜くということを知らず、出来ない自分を認めることができなかったそうです。頑張ることで、両親、学校の先生、会社に入ってからは上司や同僚から褒められ、さらに頑張ってほしいと言われ…の繰り返し。このままではどこかで息が詰まってしまうと感じた私は、こちらの漫画を紹介しました。

学校の成績は優秀、しかしスポーツはからきしダメなマーシー。

一方勉強が苦手で学校の成績はDマイナスばかりですが、運動神経は抜群のペパーミント・パティ。正反対の2人ですが、親友でもあります。

ある時、マーシーがチャーリー・ブラウンの家に行き、両親についての愚痴をこぼします。

「学校でオールAを取れ、全てを完璧にやれって……まいっちゃうわよ」

そのうちマーシーの手は震えだしました。両親からの強すぎるプレッシャーがストレスになっていたのです。チャーリー・ブラウンからマーシーの様子を聞いたペパーミント・パティは「彼女は自分に厳しすぎるのよ」。(1990.10.16～19作)

ペパーミント・パティは頑張りすぎる傾向があるマーシーを外に誘います。

「バイオリンの練習があるから遊べないわ」と断るマーシーですが、「なんでも頑張りすぎよ。いつか頭がもげるわよ」と諭し、マーシーを外に出すことに成功します。木の下で寝転がる2人。「もしあなたがときどきリラックスすれば、頭はもげないわ」とペパーミント・パティ。(1999.7.23作)

優等生で頑張り屋さんのマーシーと、Oさんとが重なるところがあるような気がしませんか。

私はこの漫画を紹介しながら、

「今までは頑張るOさんだけしかいなかったのかもしれません。これからはぜひ、リラックスもできるOさんも加えましょう」

と話しました。

ペパーミント・パティとマーシーが木の下で寝転がったように、エネルギーを使わずにできる気晴らしをいくつか持っておくことが、自分を壊さずに済むコツです。空をただぼーっと見あげるだけでもいい、飼っている猫をなでるだけでもいい。そのためにほんの少し休むこと、立ち止まる時間は無駄ではありません。その休息が、メンタル不調を予防し、新たな仕事のアイデアの源泉となることだってあるのです。

病みやすいタイプ②：
まじめに張り切りすぎて、自分の身体の声に気づけない
事例②：M さん（30 歳）

Mさんは従業員 200 人ほどの IT システム会社に勤めるシステムエンジニアです。26 歳の時に異業種からの転職を果たしました。未経験入社ながら評価も高く、29 歳の時にある大手企業向けシステム開発プロジェクトメンバーに抜擢されました。この会社では、大手企業向けの開発に携われるようになること＝一定の評価をされている、ということになっているため、M さんは張り切っていました。

プロジェクトリーダーからの評価も特別悪くはなかったのですが、
「自分は思ったように仕事ができない」
「なかなか仕事の効率が上がらない。ほかのエンジニアとの仕事に差があるように感じる」

などと思うようになったといいます。

その結果、M さんの残業時間は徐々に増え、朝 5 時半に家を出て 6 時半から仕事をスタートし、会社を出るのは 22 時を回り、睡眠時間 4 時間を切る日々が続くようになりました。土日休みの会社ながら、土曜日も毎週のように出社するようになりました。

目の焦点があわなくなったり、だるさが抜けなかったりする中で仕事をするのでだんだん心身のバランスが崩れていき、人事担当が見かねてカウンセリングを勧め私のもとに相談にみえました。

典型的な**負のループに入ってしまっている**例ですね。
「能率が上がらないのは、自分が仕事ができないため」と考えてしまうことで、遅くまで残業し休みも十分に確保できなくなる→睡眠時間不足により体調にサインが現れるが見て見ぬふりをする→能率があがらないまま長時間勤務する→症状がますます悪化する……という流れです。

体調へのサインというところでは、M さんの例でも記載した
・目の焦点が合わない

病みやすいIT技術者の特徴　タイプ2

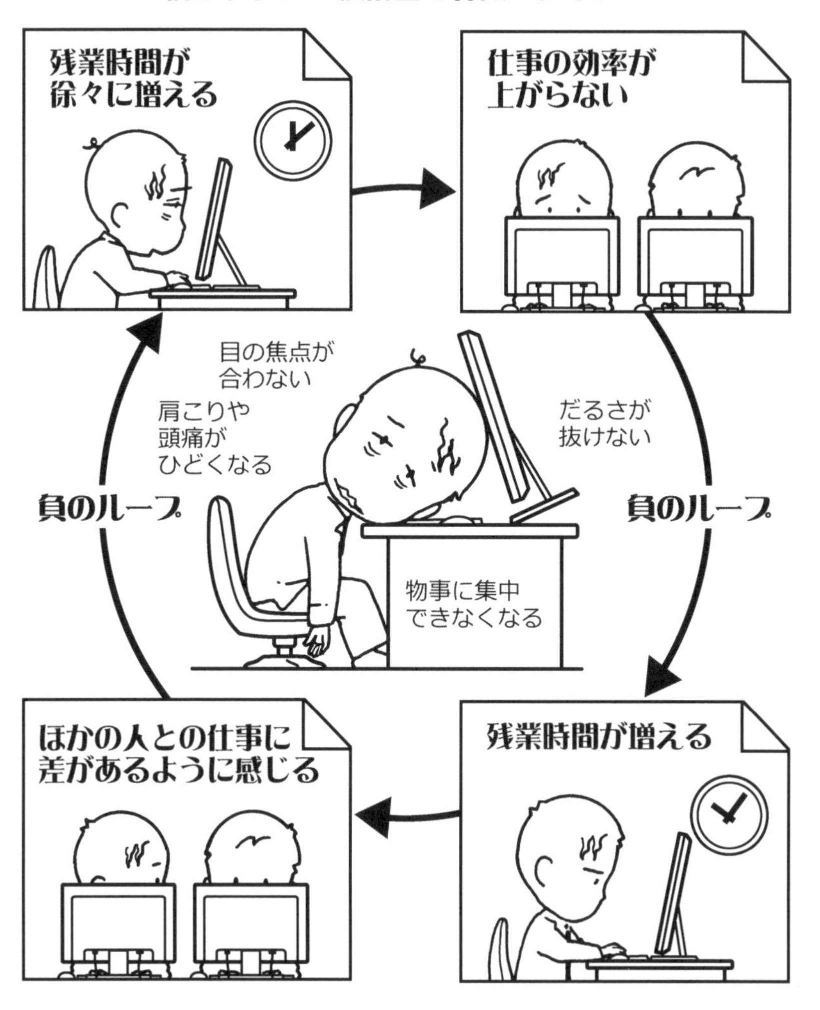

・だるさが抜けない

というのが代表的なところです。ほかにも

・物事に集中できなくなる

・肩こりや頭痛がひどくなる

といった、一見「メンタル不調」とは関係なさそうな症状も含まれます。

強いストレスがかかった場合、次のような形で反応が現れるといわれています。

大きく「**精神症状（こころ）**」「**身体症状（からだ）**」「**行動**」の変化として現れるのですが、それぞれ代表的なストレス反応（症状）をまとめたものが下の表です。

精神症状（こころ）	身体症状（からだ）	行動
やる気が出ない	眠れない（寝付けない／夜中に目覚める／早朝に目覚める）	飲酒や喫煙の量が増える
何をするのも億劫	食欲がない	拒食／過食
気持ちが落ち込む	吐き気、胃痛、腹痛	登校・出社拒否
イライラする	下痢、便秘	ひきこもり、衝動買い
（今まで好きだったことに対しても）興味関心が湧かない	頭痛	遅刻、早退、欠勤が増える
喪失感が増す	微熱が続く	時間外労働や休日出勤が増える
焦燥感にかられる	めまい	会話や報告相談が減る
不安が強まる	耳鳴り	成果が上がらずミスが増える
集中できない	動悸	服装の乱れ、清潔感がなくなる

（一般社団法人日本ストレスチェック協会「不安とストレスに悩まない７つの習慣」を基に作成）

精神症状（こころ）に現れるものは、メンタル不調につながることがイメージしやすいかと思いますが、特に身体症状や行動の変化というのは、**本人にメンタル不調の自覚、認識がもてないことが多い**ものです。「普通の風邪だろう」と思い込んでしまうなど、自分自身の状態を客観的に把握できないこともあります。

「仕事ができない自分が悪いから、時間をかけて頑張る」と**思い込まないこと**。そして、Mさんのように毎日の**睡眠時間が6時間を切る**生活が続いているようでしたら確実に「メンタル不調」になるサインだと捉える必要があります。

一般社団法人日本ストレスチェック協会代表理事・産業医　武神健之氏より

産業医からすると、Mさんは典型的なメンタル不調予備軍です。

仕事がきつすぎる、上司が合わない、職場でいじめられている等々の、周りから見てわかりやすい「ストレス」によりメンタル不調に陥ってしまう人もいますが、Mさんのように、仕事で忙しくしすぎて、体力を徐々に削ってしまい、精神的に疲れ果てた結果、メンタル不調になってしまう人も少なくありません。

土曜日に仕事をすることにより、週末の気分転換の趣味や遊び、友人たちとの楽しい時間を過ごせなくなります。その結果、金曜日と同じ気分を翌週にひきずってしまう……。

また、多くのメンタルヘルス不調と縁がないと思っている人ほど、単に調子が悪い、として、初期の症状にしっかり向き合おうとしません。

知らず知らずのうちに調子を崩すと、自己肯定感が低下し、自分の頑張りが足らないからもっと頑張らなくては……と思い、さらに仕事のことばかり考えてしまうようになります。または、常にそのような不安な気持ちになってしまうのです。ここから負のスパイラルが始まります。

自分の体調変化に無頓着になったり、見て見ぬふりをしたり……特に30代くらいの男性に多いような実感があります。お話を伺っていると**「自分が不調になったことを認めようとしない」心理**が働いているような気がしています。

若いころはなんとかだましだましやり過ごせたとしても、だんだん身体も心も誤魔化しが利かなくなります。

自分がコントロールできないことで過剰に悩んでストレスをかけることなく、さらには**自分のストレス症状を知り、気づき、早期対処していく必要**があるでしょう。

II

メンタル不調者が
出づらい会社をつくる

第5章
メンタル不調者が出づらい組織とは

第4章で病みやすいIT技術者の特徴や事例についてご紹介しました。本章では、**メンタル不調者が出づらい組織とはどのような特徴があるかに**ついて、私のサポート事例も合わせみていきます。

◆「心理的安全性」

もっとも大事な特徴としては、**従業員の「安心・安全」が確保されていること**であるといえます。

従業員の安心・安全とは、言葉を変えれば「**心理的安全性**」のことを指します。心理的安全性とは、"psychological safety（サイコロジカル・セーフティ）"の和訳で、チームメンバーひとりひとりが恐怖や不安を感じることなく、安心して自分自身の考えを発言したり、行動できたりする状態のことを指す心理学用語です。

ハーバードビジネススクールのエイミー・エドモンドソン教授が1999年に発表した論文の中で提唱されています。

（http://web.mit.edu/curhan/www/docs/Articles/15341_Readings/Group_Performance/Edmondson%20Psychological%20safety.pdf）

また、アメリカのGoogle社のリサーチチームが行なったプロジェクトアリストテレスという労働改革プロジェクトの中で、**チームを成功へと導く5つの因子**として

①**心理的安全性**（上述）

②相互信頼（互いに信頼して仕事を任せられるか）
③構造と明瞭さ（職務上で要求されていること、その要求を満たすためのプロセス、メンバーの行動がもたらす成果について、メンバー各自が理解していること）
④仕事の意味（仕事そのものに対して目的意識を感じられるか）
⑤インパクト（自分の仕事が組織や社会への影響力や意義があると、各メンバーが感じられるか）

があげられており、この5つの中で**「心理的安全性」が生産性の高いチームの構築に最も重要**であることを発表して以来、世界的に注目されるようになりました。
（https://rework.withgoogle.com/jp/guides/understanding-team-effectiveness/steps/identify-dynamics-of-effective-teams/）

▼事例で確認

心理的安全性が確保されていない組織ではどのようなことが起こるのか。
私のサポート事例からみていきましょう。

事例①：わからないことを事前に質問できない部下、上司がいくら注意しても改善されない

A社の開発第1部はBさんをチームリーダーとした10人で構成されています。普段の業務状況の共有はSlack（チャットツール）を用いて行なっています。
CさんはIT業界未経験でA社に中途入社して半年になる社員です。研修が終了し、Bさんのチームに配属されました。
Bさんからは「未経験で入社しているのはわかっているので、すぐに課題ができるとは思っていない。ただ、わからないことをひとりでうんうん唸っていても時間の無駄なので、質問をまとめて早くSlack上で共有してほしい。仮に自分が忙しかったとしても、ほかのメンバーもみんな以前に通ってきた道なので、何かしらのヒントはみんなからもらえるはずだ」といわれています。

しかし、Ｃさんはなかなか質問することができず、しびれを切らしたＢさんからガミガミ怒られてしまっています。そのたびに「はい、わかりました」と答えるＣさんですが、あまりその後の対応は変わっていないように見えます。Ｂさんは Ｃさんへの指導方法に困ってしまいました。

事例②：テスターがＥＣサイトのバグを指摘したにもかかわらず、改善されなかった開発プロジェクト

システム開発会社Ｄ社では、Ｅ社との直契約でＥＣサイトを構築しています。Ｄ社は従業員 50 人程度の中小企業ですが、Ｅ社は上場企業で、Ｄ社にとってはかなりの大口案件です。このサイト構築が無事に予定通り完了すれば、その後のサイト保守運用案件を獲得できる可能性が高いため、Ｄ社の社長はプロジェクトマネージャーのＦさんに対し「納期を確実に死守するように」と口を酸っぱくしていっていました。

構築が進行し、Ｅ社確認前のＤ社内におけるテスト環境下におけるレビューが行なわれました。要件を満たしたものができているかどうか、構築に直接かかわっていないテストエンジニアが実施しました。その際に一部の機能にバグがあることが判明しました。テストエンジニアは開発メンバーのＧさんに報告しましたが、これを直すには丸３営業日かかり、２日後に迫ったＥ社確認の日に間に合いません。Ｇさんは Ｆさんにテスト結果を報告することができませんでした。

これらの事例をみて、皆さんどのように感じられたでしょうか。

事例①で、Ｂさんに何度言われても行動を改善できないＣさんは「使えない社員」でしょうか？

Ｃさんはなぜ、質問を早くチーム内で共有することができなかったのでしょうか。私がＣさんと面談したところ、

・チームメンバーはみんな忙しそうで、自分のくだらない質問をすることが心苦しいと思ってしまう
・1日に何度も質問すると「**こんなこともわからないのか**」と思われそう
・「**あの人のせいで自分の仕事が進まないと思われたらいやだな**」と思い躊躇してしまう

という本音が出てきました。Bさんから「未経験入社だからすぐに課題ができるとは思っていない」といわれていても、その不安が拭えないのだと言います。

事例②のGさんは、テストエンジニアからバグの報告を受けながら、なぜプロジェクトマネージャーのFさんに報告できなかったのでしょうか。
Gさんにヒアリングをすると「プロジェクト遅延になりかねない状況がわかり、プロジェクトマネージャーのFさんに**怒られるのではないか**」と思い、報告を躊躇してしまったということでした。

Cさんや Gさんの話から、まさに**このチームは「心理的安全性」が不足している**ことがわかってきました。

①「無知」だと思われる不安が増す

その結果、「わからない」と言えない、不明点を聞くことができない→十分なコミュニケーションが取れず、業務遂行に支障をきたすことになります。

②無能だと思われる不安が増す

「こんなこともできないのかと思われてしまうのでは」、あるいは「自分の評価が下がるのではないか」と不安になり、時には自分の失敗やミスを報告せずに隠ぺいしようとすることになります。

③邪魔していると思われる不安が増す

「あの人のせいで自分の仕事が進まないと思われるかもしれない」という不安が生まれると、自発的な発言が出てこないことになります。チームにとって有意義になるかもしれない発言が共有されない可能性もでてきます。

④ネガティブだと思われる不安が増す
「自分が質問することで、忙しいチームメンバーの和を乱すことになったら申し訳ない」などと思ってしまうことで、少しでもネガティブな要素のある発言を控えるようになってしまいます。

▼心理的安全性を測定する方法

先述のエドモンドソン氏の論文では、心理的安全性を測定するための**7つの質問**が書かれています。

1．チームでミスした際に非難されることが多い
2．困難な課題を指摘することができる
3．イレギュラーを排除する傾向にあるチームだ
4．リスクを取る際も安心できるチームである
5．このチームのメンバーには問題を相談しにくい
6．チーム内に成果をないがしろにする人間はいない
7．自身のスキルがチーム内で尊重され役に立っていると感じられる

2、4、6、7に「はい」と答える人が多ければ、心理的安全性が高い組織といえるでしょう。
皆さんの組織ではいかがでしょうか。気になった組織リーダーの方は、匿名で構いませんので**アンケートを取ってみる**と現状把握につながるでしょう。

▼Ｃさんたちのその後

さて、私が継続支援した事例①のＣさんと、事例②のＧさんがその後どうなったのか、気になりますか？

まずＧさんですが、「悪いことほど早く報告する」ことが以前よりできるようになりました。

わかった時点ですぐ報告できなかったことをＦさんに謝ったところ「怒られるのではないかと思わせてしまった自分にも責任がある。申し訳なかった」と予想外の反応が返ってきたため、Ｆさんに対するイメージが変わったとのことでした。

「“報連相”が適切なタイミングでできていない」と上司サイドがいうことは簡単ですし、本人にももちろん問題はあるでしょう。ただ、悪い情報であればあるほど「報連相しづらい」ことを前提として、部下との関係性を構築していく必要があります。

Ｆさんがした工夫は「**どんなに悪い内容の報連相であっても、伝えてくれたことにまず感謝する**」こと。それだけでだいぶ「言いやすい」雰囲気ができてきたのです。

Ｃさんは、入社１年たった頃には「だいぶ自主的に質問ができるようになったね」と上司から認められるほどになりました。

この組織で心理的安全性を高めるために行なったアクションをご紹介します。

▼ミーティングでの発言機会を平等に与え、若手から発言してもらう

これまではどうしても組織内での立場（役職や年齢、社歴など）が上の方ばかり発言し、Ｃさんのような新入社員は意見があっても言える雰囲気ではありませんでした。

そこで上司Ｂさんは、意識的にＣさんをはじめとした**「若手から」発言を求め、発言機会が平等になるように**しました。若手からにしたのは、たとえ発言機会が与えられたとしても、声が大きく立場が強いチームメンバーが先に意見を出してしまうと、違った意見があったときに遠慮してしまう可能性があるからです。

また、Ｃさん自身も

「どうせ自分なんかが発言してもしょうがない」
「だから適当に先輩の言っていることに相槌打っておけばいいや」
　というような姿勢でミーティングに臨んでいましたが、
「必ず意見を聞いてもらえる、かつ自分の意見をはじめのほうに言うことが求められる」という意識に変わりました。強制的にただ参加「させられていた」**ミーティングが「自分ごと」**になったのです。

▼ポジティブ思考でチームの雰囲気をよくする

「こんなことをいったら周りからバカにされるのではないか」といったネガティブな発言ばかりでは、チームの雰囲気が悪くなります。
　たとえば、
「こんなこともわからないのか」ではなく「わからないことは誰もある」
「そんな突拍子もないようなことをいうなんて信じられない」ではなく
「今までになかった新たな視点が得られる機会になる」
　といった具合に、**否定的な発言を極力前向きな表現にして伝える**ようにと、チーム全員が意識するようになりました。

心理的安全性を測定するための7つの質問

エイミー・エドモンドソン教授

質問	YES	NO
1. チームでミスした際に非難されることが多い	☐	☐
2. 困難な課題を指摘することができる	☐	☐
3. イレギュラーを排除する傾向にあるチーム	☐	☐
4. リスクを取る際も安心できるチームである	☐	☐
5. このチームのメンバーには問題を相談しにくい	☐	☐
6. チーム内に成果をないがしろにする人間はいない	☐	☐
7. 自身のスキルがチーム内で尊重され役に立っていると感じられる	☐	☐

◆どの組織でもできる、心理的安全性を高める方法

Ｃさんと G さんの組織では、上司サイドの理解もあり、心理的安全性の向上へ向けて順調に進んでいるようです。しかし、先述したようなアクションをどこの組織でもとれるとは限りません。そもそも「心理的安全性が低いのはわかったけど、何から手を付けたらいいのかわからない。継続的に外部からのサポートを受けることも難しい」というようなところではどうしたらいいのでしょうか。

どこの組織でも着手できる心理的安全性を高めるための方法として、私が勧めているのが**「1on1」と呼ばれるマンツーマンでの面談**です。

1on1 とは、上司と部下で行なう定期的な１対１での面談のことです。上司から部下への一方通行な伝達になってしまいがちな人事面談とは異なり、1on1 面談では双方向のコミュニケーションをとることが実現可能になります。部下から上司や組織に対するフィードバックをしたり、上司自身のことを話したりする対話の場が求められます。上手に活用することで、

・部下との信頼関係が構築され、**ちょっとした悩みでも相談しやすい関係性**が生まれる
・ＯＪＴだけではなかなか難しい**「業務の振り返り」の機会**となることで成長促進が期待できる

といったことが望めるようになります。

ただし、上司世代の方々はこれまで 1on1 面談を受けた経験が少ないため、これから 1on1 面談を取り入れる組織の場合、**上司自身の面談（コミュニケーション）スキルを上げること**も求められるでしょう。ここで求められるスキルとは、**主に「質問力」と「傾聴力」**だと考えています。人が成長するための気づき（内省）を与えるコミュニケーションに不可欠な

力です。

効果的に 1on1 面談を実行している組織の様子をみると、

・業務内容の話に限定せず、**雑談を効果的に**行なうことで相手から質問を引き出しやすい空気感をうまく作る
・Yes,No では答えられない質問（**オープンクエスチョン**）を効果的に投げかけて、内省を促す
・部下自身の価値観について相互理解を深めている
・**ＴＰＯに合わせて実施**している（毎回会議室である必要はなく、近所のカフェやラウンジなどのほうが効果的な場合もある）
・雑談の要素は必要だが、単なる雑談に終わらないように工夫する（事前にざっくりとでもよいので**アジェンダを用意**し、時間も区切る）
・**上司が話し過ぎない**
・**部下の都合を優先**したスケジューリングを行ない、積極的に参加できる場を作る

ということを意識して運用しています。

メンタル不調者を出づらくするために、上記を踏まえ
・上司でも部下でも、自分自身の意見や主張をメンバーに表明できる
・相手の表明した意見が違うときは自分の意見との相違を伝えたうえで、組織の目標達成に向けて合理的な話し合いができる

というように、心理的安全性が高い組織を目指していきたいものです。

■コラム■「スヌーピーカウンセラー®」がアドバイス
スヌーピーの知恵③

上司と部下の円滑なコミュニケーションが、心理的安全性の高い組織に欠かせないことは疑いようがないでしょう。このヒントが、スヌーピーのコミックの中にもあります。

W さんからの相談をうけたときのこと。

主な話題は、上司の Y さんについてのことでした。

Y さんから「話が長い」「何を言いたいのかわからない」とよく言われるが、自分が声をかけてもイラッとした表情にみえるし、途中で話をさえぎって「だから何？」と問い詰められたりするし、**話がしづらいので困っている**、と言います。

W さんに名指しされた Y さんにも話をきいてみました。

Y さんはこう言います。「話は聞いていますよ。ただ W さんの話は要領を得ないから、こちらが聞いていてイライラしてしまうんですよ。**何が言いたいのかわからない**。前置きが長くて要点が整理されていない。もっと簡潔に話してほしいという気持ちにはなりますね」

職場の人間関係で多い相談内容は、Y さんと W さんの例に代表されるような「**上司と部下のコミュニケーション**」に関するものです。この問題は、上司や部下、一方だけが不満を持っているということはあまりありません。「話す－きく」このコミュニケーションは毎日行なわれることから、たいていはお互いが毎日のように不満を感じているわけです。

1994 年 8 月 11 日の作品では、ペパーミント・パティが夜中眠れないからと、大好きなチャーリー・ブラウンに電話をかけてこう言います。

「ねえチャック…起こしちゃってごめん、でも眠れなくって…最近悩んでて頭がいっぱいだよ…あなたと話すの好きなのよ、だってあなたはいつもいい聞き手なんですもの…」

ペパーミント・パティはチャーリー・ブラウンと話すことが好きだと言います。その理由は「いつもいいきき手だから」。

心理学の観点からも、人の話を聴く能力を向上させることは、人間関係を築く上で大切であり、信頼を高める近道となります。これを、上司と部下のコミュニケーションにもぜひ活かしてみてください。

◆聞き上手になる方法

先ほどのＹさんのように、部下の要領の悪い話し方に辟易している人も多いかもしれません。それでも、**部下から「よく聞いてもらえている」と評価される聞き方**があります。

・部下の目を見て聞く

忙しい上司は、つい自分の作業をし「ながら聞く」ことをしがちです。その上司の様子を見ると、部下は「関心をもってもらえない」「ちゃんと聞いてもらえていない」と感じてしまいます。

・相手のペースに合わせて、あいづちをうちながらきく

相手の話を聞きながら、まずうなずくタイミングを合わせてみましょう。あなたのペースで話して大丈夫、という安心感を相手に与えることが大切です。「なるほど」などのあいづちも入れてみましょう。

・相手の話を途中でさえぎらない

何を言いたいのかわかりにくい報告の仕方をされるとつい、「どういうことか」と途中で口を挟みたくなりがちですが、グッと我慢。「核心から話す」「要約して話す」など、話し方の**指摘や指導は、聞き終わった後に**しましょう。
「話を聞いてもらえる」という信頼感が、部下を素直にさせます。そのあとのほうが、指摘や指導も効果が高まります。

部下から
「よく聞いて
もらえている」
と
評価される
聞き方3つ
部下の目を
見て聞く
相手のペースに
合わせて、
あいづちを
うちながらきく
相手の話を途中で
さえぎらない

第6章
管理監督者・経営者が目指すべき組織

第５章ではメンタル不調者が出づらい組織についてみてきました。

本章ではこれを踏まえ、管理監督者・経営者がどのような組織を目指すかについて考えていきます。

◆ 下請け構造からの脱却

第３章で下請け構造の問題点について触れました。

扱う製品に競争力があり、**完成物に責任を持つ請負型**の仕事を行なう下請け担当であればまだスペシャリストとしての存在価値を見出すことが可能です。しかし、前章まででご紹介してきた**技術者派遣型**の仕事の場合は難しいでしょう。

では、**なぜ多重下請け構造がいつまでもなくならない**のでしょうか。

その理由の一つは経営側にあると私は考えています。

後者のビジネスは、

①自社開発のように直接リスクをとらなくてすむ

②人を客先に送り込めれば原価割れの心配はなく、少ないリスクで利ザヤを獲得できる

という（経営側の）メリットがあります。

まず①についてみると、日本はアメリカなどに比べ、労働者の雇用が労働基準法をはじめとする法律で強固に守られています。プロジェクトで必要になったときだけ雇用して、プロジェクト終了とともに解雇する、とい

うことは非常に難しいのです。そのために先述のピラミッド型下請け構造がこれらの問題解決のための仕組みとして存在しているという現状があります。

一方、自社開発の場合は相応の開発人員を常に自社で確保しておく必要があります。プロジェクトが続いている間は問題ありませんが、プロジェクトとプロジェクトの狭間期間（売り上げがない）も雇用している限りは給与を支払う必要がありますので、「その分リスクになりうる」ということです。

また②で「人を客先に送り込めれば」と書きました。さらに言えば「エンジニアのスキルよりも単価の高い」客先に送り込めれば、さらにラクに利ザヤを獲得できることになります。

実際、送られてきた履歴書をもとに技術面接を行なったところ、かなり実際のスキルよりも「盛られて」いたということは何度となく経験しています。

以前弊社の社員採用面接に来たエンジニアからは
「営業から強制的にスキルを盛るように言われていた。大して経験もないことをあたかも何度もやってきたかのように書類を直されてしまう。なので実際客先でプロジェクトに入ったときに困る。ただ、周りも“履歴書にできると書いてあったから頑張って担当してね”といって助けてもらえないので、泣きながら調べつつ業務をすることになって辛かった」
という話をききました。こういう内容の話はよくあります。
スキル不足を見抜けなかった派遣先の会社はもちろんですが、無理やり自身のスキル以上のことを求められることになる（かつ、自社の人間は現場にいないなどの理由で助けてもらえない）エンジニア本人は地獄でしょう。

さらに、元請けなのか、3次請けなのか、5次請けなのか…によっても変わってきます。客先常駐になったエンジニア間で
「おたくは何次請けですか」
「3次請けみたいですけど、よくわかりません」
「うちは5次請けと聞きました」
などという会話が初めに交わされることもあります。

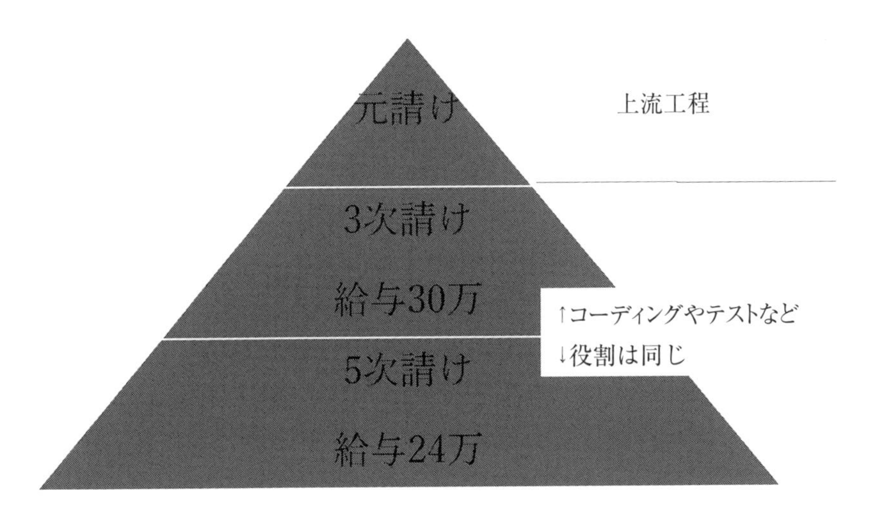

いずれにしても同じ現場に派遣され同様の仕事をしていたとしても、元請けと3次請けと5次請けとでは（各社の中抜きのため）待遇面で大きな差になって表れてきます（上図参照）。

下請け構造が深くなればなるほど、エンジニアのモチベーションが維持できなくなってくる、メンタルを病むエンジニアが増えることは容易に想像がつくのではないでしょうか。

◆ 評価制度

これはエンジニアに限った話ではありませんが、メンタルヘルス不調になるきっかけのひとつに「**評価への不満**」が多く見られます。

日本経済新聞社とNTTコムリサーチが20代～50代のビジネスパーソ

ンを対象に2015年に実施した「人事制度に関する調査」（※）を参考にみていきます。
（※：https://research.nttcoms.com/database/data/001961/）

▼人事評価に

「満足」＋「どちらかというと満足」：23.0％
「不満」＋「どちらかというと不満」：33.7％

年代別で見ると、満足＞不満となっているのは男女共に20代のみであり、年代が上がるほど不満の割合が高くなる傾向がみられます。

▼人事評価の仕組みに対する不満理由（割合）

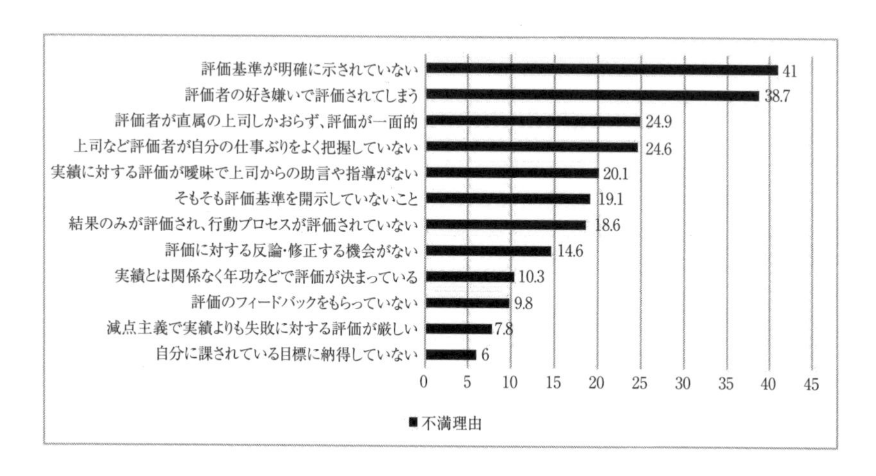

上記結果から、1位と6位は**明確化されていない評価基準**、それ以外は上司（**評価者**）**への不満**ということがわかります。

特にエンジニアの場合、営業職などと異なり数値化や定量的な判断が難しいと言われています。それゆえに被評価者からの納得感が得られづらいという課題はおそらくどの会社も多かれ少なかれ抱えているのではないでしょうか。

本部や事業部、人事の責任者が評価者になる場合、技術に詳しいとは限らない（むしろよくわからないケースも少なくない）ため正当に評価されていないのではないかという声はよく私も耳にします。

かといって、技術マネージャーが評価すれば万事OKかというとそこまで単純でもありません。技術はどんどん多様化しており、フルスタックエンジニアと呼ばれるようなごく一握りのエンジニアを除いて、技術マネージャーだからといって全ての技術においてメンバーより詳しいわけではないからです。

事例紹介①（Sさん）
＜自分に課されている目標に納得していない例＞

現在中小ITシステム企業H社でプロジェクトマネージャーを務めるSさん。H社に入社する前は、100人規模のIT企業D社でプロジェクトリーダーをしていました。

Sさんはエンジニアとして技術を追求したいと考えていました。しかし、D社ではプロジェクトの評価を「外注管理」でみているところがあり、Sさんは不満を持っていました。

「同じ受注金額で利益率をあげるためには、社員の稼働率を下げ外注の比率をあげることだと言われました。販管費がさがることがよしとされ、社員が多い案件は赤字化しやすいことから協力会社や外注を使うことを求められます。社員の稼働は下がりますので、技術向上の機会が減っていると感じまして」。

Sさんは社員としてプロジェクトに関わり、自身の技術を上げたいと願っているものの、会社の方針として「社員の稼働を下げろ」といわれてしまうことで転職を決意したといいます。

この事例でわかるように、Sさんの希望するキャリアの方向性と会社（D社）の評価基準に隔たりがあり、簡単に折り合いがつけられるものではないことが伺えます。Sさんはその後、自社開発をメインで行なっているIT企業へ転職することになりました。

事例紹介②（Tさん）

<上司など評価者が自分の仕事ぶりをよく把握していない例>

Tさんは中堅規模のITシステム企業I社に新卒で入社、システムエンジニアとして勤務して4年になります。I社のシステムエンジニアは基本的にクライアント企業に常駐し、経験の浅いエンジニアは既存システムの保守と追加開発のテストを担当することがほとんどです。

Tさんもプロジェクトの都度新たなクライアント先に常駐し、保守およびコーディング、テストを担当しています。コーディングスキルは現場で評価されている実感が持てており、自信がついてきていました。

プロジェクトは3カ月～6カ月単位のものが多く、はじめはさまざまなプロジェクトに配属されることに喜びと充実感を感じていたTさんでしたが、プロジェクトが変わるたびに人間関係を新たに作り上げなければならないこともあり、徐々にもっと長い期間のプロジェクトで、今よりも上流の設計業務なども担当したいと思うようになりました。

I社では毎月の経費精算のために月はじめに帰社日が設けられています。ある月の帰社日に上司と面談をしたTさんは「もっと上流の仕事ができないか」と希望を伝えました。しかし、上司は「まだ今のスキルでは時期尚早だ」とまったく取り合ってくれませんでした。かつ、その年の昇給はなく賞与の額も期待値からは程遠かったため「自分の上司は常駐先にいるわけではないから、自分の仕事ぶりをどれだけ正当に評価しているのかわからない。時期早々だといわれたが納得できない」と、ご相談にいらっしゃいました。

Tさんの不満は「今よりも上流工程の経験を積みたいが積ませてもらえない」「上司とは月1回の帰社日にしか顔を合わせないので、仕事ぶりをどれだけ把握しているのかわからない」という2点に集約されます。

結果、Tさんは転職をすることになるのですが、その理由の一つに「会社のキャリアプラン」が関わっていますので、次の項目でもう少し触れていくことにしましょう。

▼評価制度はどうあるべきか

評価をめぐる事例をみてきましたが、それではどのような評価制度が望ましいのでしょうか。

人が人を評価する以上、完全に「公平」が確保された制度を作ることは限りなく難しいでしょう。かつ、公平だからといって納得性につながるかというと、必ずしもそうではないという現実もあります（公平に評価された結果、低評価をつけられた社員が「納得」できるかどうかはまた別の問題）。

つまり、重要なのは**いかに納得性が得られるようにするか**、ではないかと私は考えています。

そのために必要なことは何か。大きくは**評価者に対する信頼性や、フィードバックの仕方**に影響されるのではないかと思います。殺伐としたいわゆるブラックな職場環境で、どんなに立派な評価制度を導入しても納得性が得られないであろうことは容易に理解できるでしょう。

評価は何のために行なうかといえば、社員のパフォーマンス、モチベーションを高め、ひいては生産性を高めてもらう目的があります。評価の結果によって、特定の社員（多くは低評価をつけられた社員）が意欲を失う結果になっては元も子もありません。

納得性のためには、会社としてどのような人材を評価するのか、どんな考え方で仕事をしてほしいと考えているのかを**上司の側が明文化し、事前に提示しておくことは不可欠**です。

我が社の評価基準
一、検討中
二、検討中
三、思案中
四、後もう少し
我が社の
評価基準の
草案です

◆ 会社のキャリアプラン

技術者派遣型のビジネス形態になっているIT企業の場合、「人事部門がない、あったとしてもまともに機能していない」ことが少なくありません。

私はこれまでさまざまな立場のエンジニアからお話を伺ってきました。**会社のキャリアプランに関連するいくつかの事例**をご紹介します。

① Jさん

上流工程をメインで担当。プログラミングができなくても仕事がこなせてしまう。技術的なところは優秀な協力会社メンバー（いわゆる外注）に任せれば済んでしまうのでプログラミングができないまま20代が終わってしまった。社外の勉強会に参加した時に、同世代のエンジニアのコーディングスキルを目の当たりにして、このままで自分はいいのかと思い始めた（大手IT企業・30歳）

② Kさん

短い時間で開発できる優秀なエンジニアは、残業代が支払われないから出来が悪いエンジニアよりも給与が少ない。時間労働で評価されるかのような今の環境に納得できない（中小IT企業・27歳）

③ Lさん

入社1日目から本社ではなく取引先の会社Aがある最寄駅で営業と待ち合わせし、「取引先で新人研修を受けてもらうように」言われる。1カ月ほどその会社で一般的なビジネスマナーやプログラミング基礎などの研修を受ける。研修終了後本社に戻れるのかと思いきや、なぜか会社Aの関連会社Bにてプロジェクトにアサインされる。B社はWebアプリ開発を行なっており、このチームのテスターとして約6カ月従事。プロジェクトが終わり、また別の会社（常駐）でのテスター案件にアサインされ約1年。

この先ずっとテスターなのかと不安になり、本社営業に今後のキャリアについて相談し「コーディングの技術を身につけたいので、そのような案件に入れてほしい」と希望を伝えたが、なかなか叶わずにいる。

同世代のエンジニアと比べてスキル差が出ていると思うし、いつまでテスター以外の仕事が得られるのかわからないのでキャリアプランがまったく描けない。社内の他のエンジニアと話す機会も（基本客先常駐なので）ほとんどないため、モデルケースも見当たらないでいる（中堅IT企業・27歳）

④ Mさん

営業が強い裁量権を持っている。この案件では自分の期待する技術が身につかないと思い、案件にアサインするときに配慮してほしいと訴えたが、「自分の意向に背くのであればもっときつい現場に常駐させる」などと言われ、労働基準法を守る気がないような過酷な常駐先に配置換えになった。

それ以来、無力感に襲われ、この営業に何を言っても無駄なのかと思うようになってしまった。これ以上無理難題な案件先に飛ばされても疲弊するだけだし、人事もないので営業のひどい仕打ちをエスカレーションする人がいないことはわかり切っている。心を病みそう（中堅IT企業・28歳）

⑤ Nさん

自社ではある一定の年齢（大体30歳過ぎくらい）にはマネジメントができるようにと暗にキャリアパスが決められている。自分自身はマネジメントには魅力を感じず、ずっと現場でコードを書いているほうが幸せなのだが、そのような選択肢がないらしく、どうしたものかと思っている（中小IT企業・34歳）

これらはごく一部の事例ですが、ここにあげただけでも「このような会社でキャリアプランを期待することは極めて難しい」ことがわかるでしょう。③、④にもあるように、技術のことをよくわかっていないかもしれない営業担当者が力を持つことでの弊害事例はビックリするくらい多いのです。営業の権力が強く「とにかくエンジニアを客先に送り込んで、利ザヤ(マージン) をとることを第一に考えている」企業の場合、キャリアプランは客先次第になりかねません。どのような案件・プロジェクトに配属されるかは行き当たりばったり、会社の人事がエンジニアのキャリアを考えアサイン先を配慮してくれるとは限らないのが正直なところでしょう。

エンジニアとしての最低限の教育すら提供されなかったり、貪欲に新しい技術を吸収したいと望んでいる若手技術者の意欲をそぐような対応はモチベーションを下げるだけです。

人事部門はこのあたりのサポートをしっかり行なう必要があります。

そして、**現場の管理職は、エンジニアの育成要件を定め、教育**を行なわなければなりません。これは本来のミドルマネジメントの姿であり、客先任せでよいはずがありません。双方の連携・サポートが不可欠です。

▼会社が目指すべき姿

会社が目指すべき姿をまとめておきましょう。

・(特に若手) エンジニアの成長意欲をそがないよう、**教育機会の提供やバックアップ**を行なう。
・**多種多様なキャリアの方向性にできるだけ対処**できるような体制を構築する。年を重ねても１現場プレイヤーとして技術を極めることを希望する人もいれば、早くからマネジメント・経営に携わることを希望する人もいます。現場での経験を踏まえて新たな事業開発をする側に回りたいという例もあるでしょう。それぞれの社員の希望および適性をしっかり把握したうえで組織体制を設計していくことが大切だと思います。

◆ 事例のようなケースは、どうしたら？

こうすれば絶対に解決する、という処方箋を示せるわけではありませんが、各事例に関する私からのプチアドバイスをまとめてみました。

① Ｊさん

エンジニアとしての技術を極めていきたいと考えるのであれば、下流工程の経験は必須だと考えます。上流工程担当だから下流工程のスキルは必要ないということは決してありません。仮にユーザーからの要求事項に技術的に無理難題が含まれていたとしても気づけないかもしれませんし、外注先から上がってくる見積工数が適切なものか判断することも難しくなるでしょう（かつ、下流工程を担当している会社が何らかの事情で抜けることになってしまった際に、自社にノウハウが失われるということにもなりかねません。これは経営上のリスクだと思います）。会社に掛け合ってみて、どうしても下流工程のノウハウが得られないのであれば、転職を視野に入れることも考えてみましょう。

② Ｋさん

効率よく仕事をしているエンジニアのほうが給与が少ないことになるのは、他のエンジニアの士気を低下させることにつながりますね。納得できないのも無理はありません。優秀なエンジニアが他社に流れる一因にもなるため、会社としては評価制度の一考が求められるケースだと思います。

本来、残業は会社（管理監督者）から指示されて行なうものです。あまりに仕事能率が悪いことによる残業が発生している場合は、原因となった（割り当てた）仕事の量や質が適正だったかどうかを管理監督者自身が見直す必要があります。

③ Ｌさん

Ｌさんのように、モデルケースとなるような先輩が自社にいないという相談は少なくありません。ただ、生き方・働き方の変化や多様化が進む現代では、「モデルはこの先輩」と特定することは難しくなってきているようにも思います。会社自体の働き方が自分の望むものと違う場合（例えば弊社はワークライフバランスを大事にしており、必要以上に残業をすることを良しとはしていませんので、「バリバリ、残業も厭わずハードワークしたいです」というようなタイプの方にとっては物足りないと感じるかもしれません）や、働き方を変えるためには社内で職種転換が必要になってしまう場合などは、転職を考えてもよいかもしれません。

④ **Mさん**

「労働基準法を守る気がないような過酷な常駐先」であることを知りながらアサインしているという会社の姿勢に加え、無力感、疲弊、心を病みそうという言葉が出てきていることを考えると、こういった会社は正直早く離れたほうがいいでしょう。

⑤ **Nさん**

上司と本音で会話して、本当に「ある一定の年齢を超えたらマネジメント方面のキャリアしか用意されていないものなのか」を確認してみましょう。会社によっては、専門職（スペシャリスト）としてのキャリアパスを設けることを考えるところもありますので、その会社の「スペシャリスト第１号」になってしまうのも手かもしれません（マネジメント方面に進みたくないという人も増えていますので、特性を生かし、技術力の高い方々の定着にもつながるスペシャリスト制度の導入は今後ますます求められると感じています）。

以上、類似の状況に置かれているという方は必要に応じて参考にしていただければ幸いです。また、会社の経営・人事担当の皆様は、会社の仕組みづくりという点で参考にしていただけるところがあるかもしれません。

◆ 管理監督者のストレスマネジメント

会社で**メンタルヘルス研修**を受けた方もおられるかもしれません。管理監督者の方は「ラインによるケア（通称ラインケア）」について学ぶことが多いでしょう。

「**ラインケア**」とは、2000年8月に厚生労働省が策定した「事業場における労働者の心の健康づくりのための指針」に記載されているメンタルヘルス対策4つのケアの1つです。

<メンタルヘルス対策　4つのケア>

セルフケア 実施者：労働者 (含む管理監督者)	・ストレスやメンタルヘルスについての正しい理解を得る ・自身のストレスへの気づきと対処ができる
ライン（による）ケア 実施者：管理監督者	・職場環境の把握と改善をはかる（勤怠状況や職場環境改善計画立案評価など） ・労働者からの相談に対応する ・休職者の職場復帰における支援をする
事業場内産業スタッフによるケア 実施者：産業医・衛生管理者・保健師・人事労務担当者等	・メンタルヘルスケア実施に関する計画を立てる ・個人の健康情報の取り扱いを行なう ・事業場外資源とのネットワーク形成や窓口になる ・休職者の職場復帰における支援をする
事業場外資源によるケア 実施者：事業場外の機関・専門家(医師など)	・ネットワークの形成 ・外部機関からの支援を受ける

これらすべての担当者が協力し、各自の役割を果たすことによってメンタルヘルス対策の効果が見出せることになります。

管理監督者は主にラインケア部分を担当し、部下の健康（含むメンタルヘルス）を守る義務を果たす必要があります。

そのためにラインケアを実施し

「遅刻や欠勤がいつもより増えているスタッフがいないか」

「最近仕事の効率が悪くなっているスタッフはいないか」
「ストレスを抱えていそうな様子がないか」
などいつもとの違いに早期に気づき対処するといったスキルが求められます。4つのケアの中でも特にメンタルヘルス予防に際し「肝」になる部分だと考えています。

▼管理監督者自身のケアも大切

そんな管理監督者自身がストレスを抱えたり、メンタルヘルス不調になったりするケースも増えてきています。以前に比べ組織のライン構造も多階層からフラットに近づいてきており、中間管理職が減り、プレイングマネージャーとしての役割になりマネジメント業務に加え本人の現場業務も忙しくこなすことが求められるなど、時代の変化によるものも見逃せません。

職場でのストレスに関する調査でも、一般社員よりも管理監督者のほうがストレスを感じている度合が高いという結果が出ています。セルフケアによるストレスマネジメントは一般社員だけでなく管理監督者も、いやもしかしたら管理監督者こそ大事ともいえるのではないでしょうか。

どうも、
ラインケアを
担当している
課長で〜す
みなさん
今日もお元気で
お過ごし
ですかぁ〜
課長
具合悪そう
だよなぁ
管理監督者のほうが
ストレスが高いことも多いので
要注意です

第7章
実際にやってみた——弊社の場合

第6章で管理監督者や経営者がどのような組織を目指すべきか、私なりの考え方をまとめました。本章では、弊社での実践についてご紹介します。

◆ 客先常駐ゼロ

弊社はアメリカ生まれの「Magento」という越境ECプラットフォームを日本でいち早く採用し、実質Magentoに特化した形で開発や導入支援（含む日本語化）に携わっています。英語の壁、日本語での文献不足などから開発者が少ない日本におけるリーディングカンパニーとしての地位を確立していることもあり、おかげさまで今のところ営業専属のメンバーを置かずとも案件の引き合いをいただけています。

案件の中には「客先常駐」を前提としているものもありました。

実際に弊社に来たお問い合わせ例①
（企業が特定できないよう多少デフォルメしています）

> 弊社が運営するサイトの越境ＥＣ立ち上げ（韓国語・英語）をMagentoベースで考えています。社内システムとの連携が必要になるため、常駐開発できるパートナーを探しています
> スケジュール感：着手からリリースまで３カ月
> 必要要員：エンジニア３名程度
> 常駐できる場合は人月単価を教えてください

上記お問い合わせに関しては、**「弊社は客先常駐での案件はお請けしていません」と断りました。**

お問い合わせ例②

問い合わせ企業：コンサルティング会社Ｃ社 案件：超大手金融系会社（Ｋ社）向けMagentoシステム構築案件 経緯：Ｋ社の現場改善のためシステム導入が必要になった。このシステムをMagentoベースに構築することになり、システム導入サポートを行なっているＣ社に話がきた。Ｃ社はＫ社にコンサルタントを常駐させ、要件定義を実施。システム仕様がある程度固まってきたため、弊社にユーザーインターフェース設計およびプログラムの作成を依頼したい

要望：
①客先常駐希望
—プロジェクトの規模が大きく、クライアントとの頻繁な議論が必要になる
—納期がタイトであり、タイムロスなく業務を遂行する必要がある
② Magentoエンジニア５名希望
—最低１名はマルチロール（※）可能なエンジニアであること
※ネットワーク、セキュリティ、アプリケーション、DB、UI/UX、業務連携などIT技術者として幅広い知識・スキルを持ち合わせ、複数の役割を担うことができる

客先常駐希望ということでしたので、はなからお断りでもよかったのですが、どの程度の単価感で打診しようとしているのか興味があったため、試しに聞いてみました。すると「マルチロール可能なMagentoエンジニアであれば、月200万円クラスでも考える」とのことでした。

ITエンジニアの人月単価相場は、ある程度の実力を伴うシステムエンジニアの場合100万円くらいかと思われます。もちろん案件規模や業務内容、エンジニアのスキルや年齢などによって左右されますが、あくまで目安です。そう考えると、月200万円クラスという金額はなかなかの高単価といっても良いと思いますが、**こちらもお断りしました**。

弊社の場合、Magentoベースのシステム開発に特化している関係でそれ以外の案件先から話が来ることは基本ありませんが、それでもお問い合わせ例①のように「(クライアントの) 社内システムとの連携」といった話が出てきます。「こういう連携方法があるんだ」など、目的意識をもって常駐先の業務に従事している方であればスキルアップすることも可能ですが、目的意識を持たないでいるとスキルアップを期待することはできないでしょう。汎用性のない作業を淡々としているうちに、あっという間に時が過ぎてしまうエンジニアが量産されてしまうことになりかねません。

現在弊社のプロジェクトマネージャーを務めるスタッフは、弊社入社前にそのような事例をいろいろ見かけたようです。以前勤めていた職場の営業担当が、「めっちゃできる人なんです」と言いながらド新人を売り込んでいたり、役員が「○○空いているだろ、▲▲の案件で人が足りていないらしいからアサインして」などと人事担当に要望しているところに何度となく遭遇していたといいます。

そんなスタッフの名言です。

“常駐は人間鉢植え”。

スタッフ曰く「派遣を指示する側が雇用契約を盾に、まるでコマを動かすように人を配置している現場をみていると、その人に対するキャリア計画があるかは疑わしいと思っていた。『チームで派遣するから！』と言われて安心していたら、入社して間もないド新人がめちゃくちゃ高い値段で派遣されることになった。それを知ったときはだいぶ複雑な気持ちだった。現にその新人は派遣先でかなり苦労していたので……」

コマを動かすように人を配置している様子を「鉢植え」に例えたというわけです。言い得て妙かもしれません。

▼弊社のメンタルヘルス・キャリアカウンセリング事業

弊社はITシステム開発事業と合わせ、メンタルヘルス・キャリアカウンセリング事業を展開しています。私自身がキャリアカウンセラーでもあり、従業員がどのようなキャリアを積んでいきたいか、どのようなプロジェクトで業務を進めていくかなど、本人の希望や意向を最大限踏まえる形でアサインをするようにしています。会社である以上利益追求はもちろん大事なことですが、常に利益を出し続けられる強い会社になるためには、従業員の教育が不可避であることは言うまでもないことです。

そういうわけで「**弊社は客先常駐がないことが特徴です**」と会社説明の場でも申し上げているわけですが、中には

・客先常駐で得られるものはないのか？

・自社開発なら教育がちゃんとできる保証はあるのか？

などと質問されることがあります。

まず、客先常駐で得られるものがないのか？という問いに関しては、「決してそれ自体が悪いことだとは思わないし、得られるものもなくはない」というのが正直な回答になると思っています。こういう連携方法や業務があるのかと見ながら作業を進めるなど、何かしら目的意識を持っているのであればよいですが、「自社の営業から行けと言われたからそこの会社で業務しています」というような受け身の姿勢ではスキルはつかないでしょう。

また、目的意識があったとしても、派遣される際に自身のスキルをしっかり把握してもらっているかどうかは大きなポイントになります。すべての客先常駐がそうだというわけではもちろんありませんが、傾向として「開発におけるコア部分は外注である常駐スタッフには担当させない」ということから、単純作業ばかりであることが多いのは確かです。

大学を出たての新人のうちはしかたがないかと思っていても、**20代後半になっても、30代に入ってからも同様の作業ばかり……という嘆きの**

声は思いのほか多いのが現状です（弊社で面接したあるＳＥ候補者はこの業界で５年のキャリアがあるにもかかわらず、まともなプログラミングができませんでした）。

続いて「自社開発なら教育がちゃんとできるのか」という問いに関してですが、こちらも正直な回答（一般論）としては「そうとは言い切れないのが事実」ではあります。

ただ、**少なくとも自社の従業員教育に関して責任をとれます**。この責任の所在がどこか？というところが、従業員の立場で見た時の「自社への帰属意識」にもつながるのだと考えています。大事な従業員のキャリア開発を、自社でコントロールできなくなることは避けたいですし、従業員が普段どのようなことを考え業務を行なっているかについて人事や上司、先輩メンバーが常時みられる環境かどうかはとても重要だと思っています。

▼２次請けから１次請けになった理由

弊社も初めから１次請けの仕事しかうけないようにしていたわけではありませんでした。設立当初は仕事を選ぶ余裕もないため、「自社内で開発ができる」という条件さえクリアしていれば、２次請け以降の案件も引き受けていました。

たとえば――

クライアント　Ｆ社
１次請け　Ｎ社
２次請け　弊社

クライアントＦ社のMagentoを用いたECサイトリプレースの案件でした。

１次請けＮ社から決済周りの一部機能開発を依頼され、弊社が担当したのがきっかけでした。

Ｎ社の担当者とやり取りを進めるにつれ、「Ｎ社の担当者はスキルが足りないかもしれない」ということが薄々見えてきました。クライアントF社からの要望事項をＮ社が正確に伝えられていなかったことが原因（のひとつ）での手戻り発生なども増えていました。

プロジェクトの後半からは２次請けの立場の弊社からも、クライアントＦ社とＮ社との打ち合わせに同席が許されるようになりました。また聞きで正しい情報でないかもしれないことが少々のタイムラグをもって弊社に降りてくるようなもどかしい状況が改善されるなら万々歳だ、と打ち合わせに同席するようになりました。その場でＦ社に弊社のスキルを評価いただき、最終的にはＮ社が契約を打ち切られ、弊社と直接取引させていただけることになりました。

１次請けの会社がスキル不足であったり、弊社の意向がまったく反映されないような案件に関しては早期に手を引くか、１次請けにしてもらうよう交渉するか……、弊社ではこの３年くらいはほぼ１次請けの仕事となっています。

▼小さな会社ならではの戦略

下請けITベンダーから聞かれる声として「小さい会社だと、営業部や人事部という形で組織化することが難しい。それゆえ、安定的な元請けを確保すればリスクを負わずに一定の案件（仕事）が得られる多重下請け構造というビジネスモデルは捨てられない」ということがあげられます。

このビジネスモデルのもとでは、極端な話、マーケティングも営業も不要になります。自社に要求された人数のエンジニアを送り込めれば、あとは特に何かしなくても一定の収益を上げることが可能になるからです。

弊社もご多分に漏れず小さな会社です。専属の営業担当やマーケティング担当がいるわけではありません。それでも今のところ、ホームページを検索していただいた方や既存のお客様からのご紹介などから仕事をいただくことができています。まさにホームページに営業してもらっている形です。

それができているのは、「Magento」という日本では正直あまり知名度のないプラットフォームにいち早く（アメリカ本国で正式リリースされる前のβ版から）注目し、日本でビジネスを行なう上で必要な**日本語化対応や決済エクステンション構築、技術サポート**を行なってきたことに加え、**カウンセリング事業と合わせて展開**している**日本唯一の会社**だからだと考えています。

誰もが知っているであろう大手有名企業とも直接取引をしているというと驚かれることがあります。多重下請け構造がなぜ存在し続けるかといえば、大手（ユーザー）企業のIT部門は中小ITベンダーとは直接取引したくないと考えていることが一因となっていることからも、驚かれるのも無理はないと思います。それは（手前味噌ではありますが）**弊社にしかない技術力・ノウハウがあるから**、に尽きるでしょう。自社で採用した従業員の教育に責任を持ち、心身ともに健康に（メンタルを病むことなく）生産性高く仕事をし続けてもらうためには「小さな会社だから（下請け仕事ばかりでも）仕方がない」ではなく「小さな会社だったとしても、そこに頼むしかないと思わせるほどの特化した技術を持つ」ことがカギになると思います。

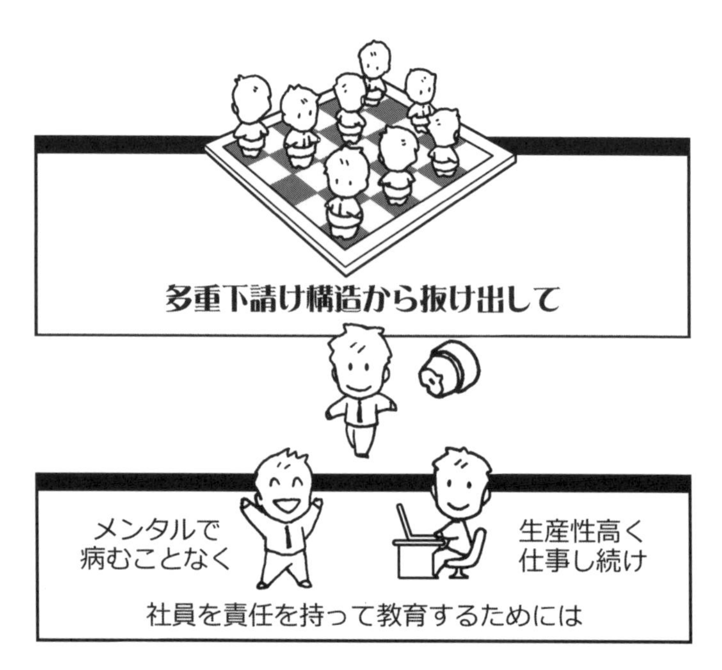

特化した技術とノウハウを持つこと

◆ 従業員サポート体制紹介

▼ ACS 個性分析診断

弊社では、人間社会に不可欠な**コミュニケーションの力を指数化**し、「CQ」（Communication Quotient）として視覚化し、その人の個性・特性を分析する**ACS**（Analysis of Communication Structure）**個性分析診断**というアセスメントツールを活用しています。私はこの**CQ アドバイザー**でもあります。

12 の尺度（※）につき、0～40 の数値で「見える化」され、レーダーチャートとして表示されます。内側の二重線が標準値（22）で、折れた線が受検者の値となっています。10 人受ければ 10 人全く違う結果になり、それがその人の「個性」ということになります。数値が標準に近いからよいわけでも、高い（40 に近い）からよいわけでもありません。

（※）12 尺度の簡単な紹介

充実性：今の自分の人生に対する充実感
会話性：何気ない会話をする意欲（好き嫌い）
交流性：他人との交流の積極性
幸福性：自分の人生に対する前向き度
表出性：自分の感情を表に出すか
共感性：相手の感情に寄り添い十分に受け止めることができるか
尊重性：自分とは違う他人の行動をそのまま尊重し受け入れられるか
融和性：自分の考え方を変えることにストレスを感じるか
開示性：自分の内面を表に出すことにストレスを感じるか
創造性：自分で考える傾向が強いか、他人に任せる傾向が強いか
自立性：周囲の評価や感想に縛られず自分を貫けるか
感受性：色々な経験をした時に感動する心を持っているか

弊社では入社試験の際、候補者全員にこの診断を受けていただいています。診断結果は既存社員とのバランスなどを考え、面接に呼ぶかどうかの判断材料になっています。

こちらの社員、A さんの結果です。

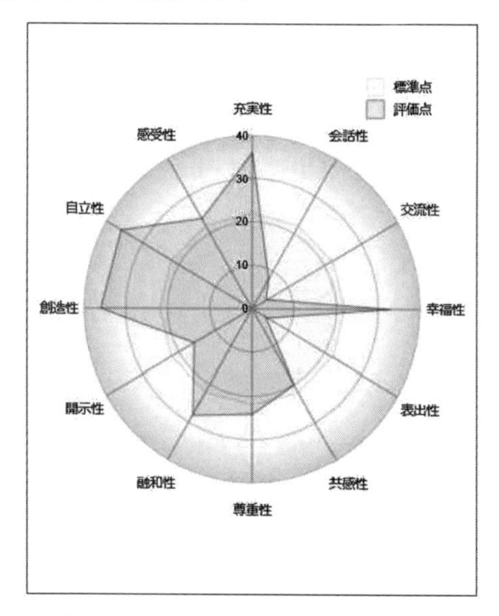

充実性	会話性	交流性	幸福性	表出性	共感性
36	8	4	33	4	20
尊重性	融和性	開示性	創造性	自立性	感受性
24	28	16	36	36	24

無駄な会話はあまり好まず、基本的に他人の評価で左右されるのではなく自分で考え、自分で納得して先に進めるタイプだと考えられます。自分の思いを貫きたい、多くの人と交流することよりは自分の世界を好む個人型タイプの典型でしょう。

このタイプの社員に対しては

・細かく指示はせず、ゴールへの取り組み方に関して基本的に本人に任せる（裁量を多く持たせる）

・何を考えているのかわかりにくい（表面に出づらい）ため、折に触れて、ただし必要最低限の雑談をすることで様子をヒアリングするようにしています。

自走型で、ひとりでどんどん物事を進められるタイプなので、コロナ禍で弊社でも増加しているリモートワークでもパフォーマンスを維持できるタイプです。

一方、こちらの社員、B さんの結果をみてみましょう。

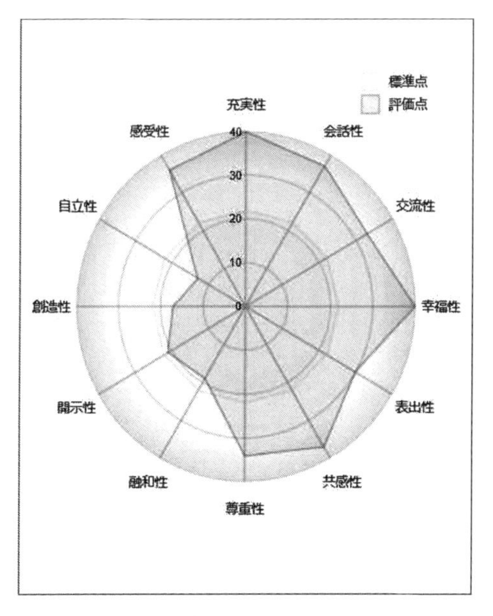

充実性	会話性	交流性	幸福性	表出性	共感性
40	37	33	40	30	37
尊重性	融和性	開示性	創造性	自立性	感受性
34	19	21	17	13	36

A さんと比べ、会話性や交流性の数値が高く、創造性や自立性の数値が低くなっています。

判断の基準が自分ではなく相手にあり、ちょっとした会話をしたり多くの人と交流することが好きなタイプです。在宅で１人で作業を黙々と進めるよりは、オフィスでほかの社員とコミュニケーションを積極的にとりな

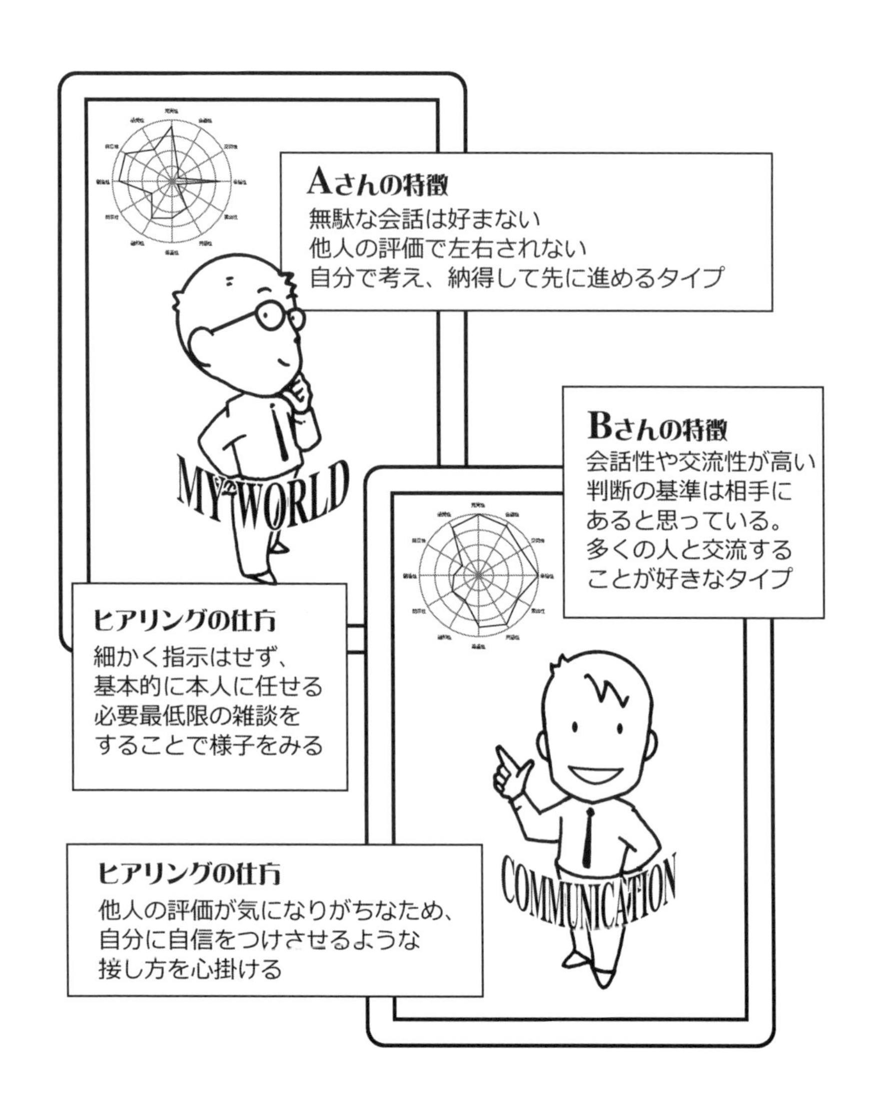
Aさんの特徴
無駄な会話は好まない
他人の評価で左右されない
自分で考え、納得して先に進めるタイプ
MY WORLD
ヒアリングの仕方
細かく指示はせず、
基本的に本人に任せる
必要最低限の雑談を
することで様子をみる
Bさんの特徴
会話性や交流性が高い
判断の基準は相手に
あると思っている。
多くの人と交流する
ことが好きなタイプ
COMMUNICATION
ヒアリングの仕方
他人の評価が気になりがちなため、
自分に自信をつけさせるような
接し方を心掛ける

がら仕事をするほうが向いているといえるでしょう。他人の評価が気になりがちなところもあるため、自分に自信をつけさせるようなかかわり方が必要だと考えられます。

こういった診断を入社前に受けてもらうことで、個性や特性に合わせた配置、プロジェクトメンバー間での関わり方、上司としてのフォロー注意点などを把握することができています。

▼ B-Brain テスト

最近では、脳タイプとメンタル耐性（ストレス状況）が数値化される、脳科学に基づいて開発されたB-Brainというテストも活用することにしています（B-Brain認定インストラクターとして本試験をカウンセリングや社員研修などにも活用中）。

このテストによって私たちが無意識に使っている脳の活用傾向を知ることで、自身の強みと弱みの補完をし、ストレスの軽減につなげることができるため、健康経営という観点から取り入れているアセスメントです。

こちらも弊社社員の例をみてみましょう。

Cさん：

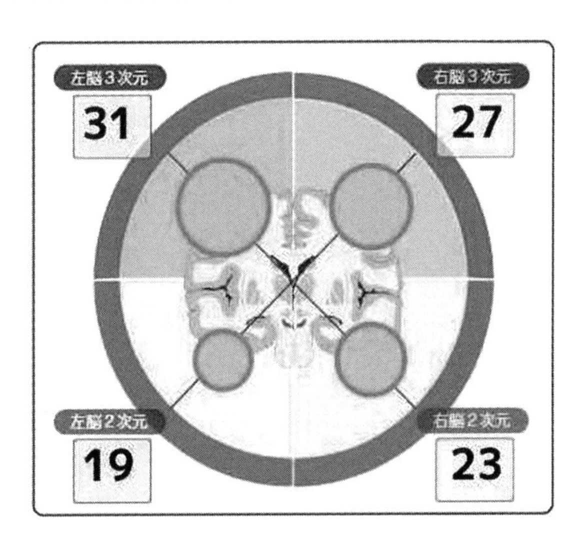

基本的に自分のやりたいことを優先し、そのために物事を俯瞰し合理的・論理的に思考することが得意です。また、独創性あるアイデアを生み出すこともできます。相手の立場を思いやったうえでの対応も可能で、それゆえに周囲からの協力を得られやすく、リーダー向きのタイプです。一方、綿密な計画を立てて予定通りに目標を達成することはやや苦手です。当該部分が強い人と協力し補完していけると強いチームになれると考えられます。

Dさん：

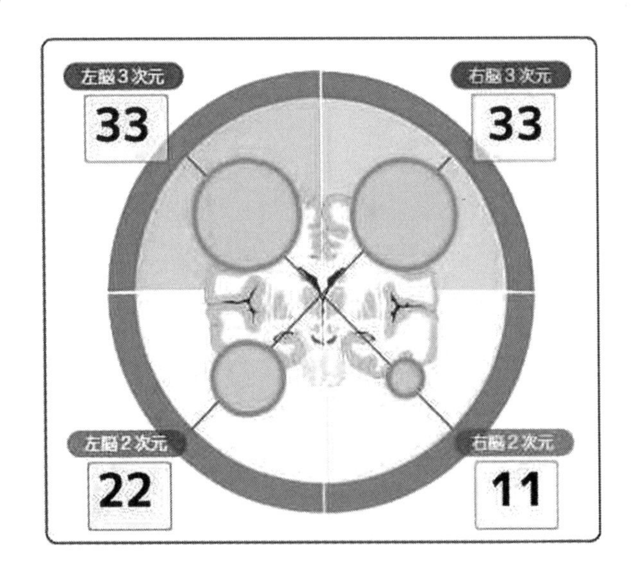

Cさん同様、論理的かつ合理的に物事を進めることができます。新規性を求め、新しいことをどんどん調整できるエネルギーも持っています。行動力に優れスピーディに事を進める反面、結果をすぐに出したがる傾向があります。相手への気遣いやチームワーク、協調性といったところは苦手といえます。起承転結のはっきりしない抽象的な話を聞くこと、誰にでもできるような仕事を任されること、目的なく集まることなどはストレスを感じやすいです。判断の基準は自分の価値観にあるため、理解者のいない環境や、命令や批判をされる人間関係や職場だと辛いと感じるタイプです。

ACS 個性分析診断同様、この B-Brain テストも**「どこの部分の数値が高いから優れている」という類のものではありません。**

アセスメントを介し、弊社として意識していること。それは「人間関係は自分をしっかり理解することが大前提」だということです。そのうえで、自分の良さを活かし、弱いところはほかの強い人に補ってもらえるようなチーム編成にすることで、みんなが気持ちよく仕事をできる環境に近づくのではないかと考えています。

◆ まとめ

本章の後半では**弊社で活用しているツール**のご紹介をさせていただきました。こういったツールを使う際はややもすると「数値が低いから評価が下がるのか」「数値が高いのが社員として優れた人なのか」など、数値の高低が独り歩きしてしまうことがありますが、弊社ではこれらの数値を各人の評価には使っていません。あくまで「個性を活かした形」での組織運営を行なう上で参考にしているにすぎません。

特に弊社を含む少人数で事業を営んでいる中小企業にとって、1人の離職はかなりの痛手になります。縁あって自社に迎え入れた従業員がそれぞれの個性を活かして活躍できるようにすることが、経営者としての私の役割だと思っています。

基本姿勢は「欠点を頑張って直してもらうよりは、長所を伸ばし、個も組織も強くし、高いパフォーマンスを発揮できるようにすること」。

こういった姿勢が「社員が病まない会社をつくる」ことにつながると、弊社の実践およびこれまでのサポート経験より実感しています。ぜひ読者の皆様にも取り入れて頂けたらと願っています。

おわりに

メンタルヘルスの問題は従業員自身の自己管理が基本だという認識を持たれている方が少なくありません。IT 技術者自身がひとりひとり、自分なりのストレス対処法を身につけることはもちろん望まれますが、それだけでは会社・組織としてのメンタルヘルス対策として不十分です。

メンタルヘルスの変化は周囲や本人が気づかないうちに起こることが多々あり、目に見えづらい問題だからこそ、経営者・管理職は自身とメンバーの心身の変化に気を配るなど意識的な取り組みが求められます。この点は個人の管理努力にゆだねるのではなく、会社自身が変わらなければなりません。3K と揶揄され、負のイメージが先行しがちな IT 業界ですが、コロナ禍において今後ますます需要が高まる業界でもあると思います。この業界を支える大切な技術者がメンタル不調で病むことなく活躍してほしいという思いを込めて本書を執筆しました。

本書執筆にあたっては、ともに支えてくれるベリテワークス株式会社のメンバー、面談にお越しくださった相談者の皆さんに心から感謝いたします。思うように筆が進まない私を優しくサポートいただいた言視舎の杉山尚次さんには執筆当初より大変お世話になりました。そして、わかりやすく楽しいイラストを描いてくださったイラストレーターの工藤六助さん、本書出版のきっかけとなり、随時温かい励ましをいただいたテクノ・インテグレーションの出川通さんにも改めてこの場を借りてお礼申し上げます。

読者の皆様が本書に収められた中から適宜日々の実践に取り入れ、メンタルヘルス対策を会社・組織として実施していただくことで、IT 技術者が心身ともに健康でパフォーマンス高く働ける会社が増えるように願いながら、本書の筆をおきたいと思います。最後までお読みいただきありがとうございました。

2021 年 1 月　浅賀桃子

著者………浅賀桃子（あさか・ももこ）
ベリテワークス株式会社代表取締役／代表カウンセラー。SIer および IT コンサルティング会社 HR を経てカウンセラーとして独立。2014 年ベリテワークス株式会社として法人化。IT 業界での約 15 年の経験を活かし、主に IT 関連企業に対しカウンセリング、人事労務サポートを行なう。「スヌーピーカウンセラー®」としても活動中。公式ホームページ：https://veriteworks.co.jp/

装丁………佐々木正見
イラスト………工藤六助
DTP 組版………勝澤節子
編集協力………田中はるか

書籍購入者特典

下記 URL よりメールアドレスを登録して感想を書いてくださった方全員に、本書第 7 章で紹介した診断ツール（どちらか 1 名分）をプレゼントします。
ご登録確認後、詳細が書かれたメールをベリテワークス株式会社からお送りします。
https://survey.veriteworks.co.jp/mentalhealth/index.html

IT 技術者が病まない会社をつくる
メンタルヘルス管理マニュアル

発行日❖2021 年 1 月 31 日　初版第 1 刷

著者
浅賀桃子

発行者
杉山尚次

発行所
株式会社言視舎
東京都千代田区富士見 2-2-2　〒 102-0071
電話 03-3234-5997　FAX 03-3234-5957
https://www.s-pn.jp/

印刷・製本
中央精版印刷㈱

ISBN978-4-86565-196-6 C0036